LA NUIT DES PRINCES CHARMANTS

DU MÊME AUTEUR

ROMANS, RÉCITS ET CONTES

CONTES POUR BUVEURS ATTARDÉS, Éditions du jour, 1966
LA CITÉ DANS L'ŒUF, Éditions du jour, 1969
C'T'À TON TOUR, LAURA CADIEUX, Éditions du jour, 1973
LE CŒUR DÉCOUVERT, Leméac, 1986
LES VUES ANIMÉES, Leméac, 1990
DOUZE COUPS DE THÉÂTRE, Leméac, 1992
LE CŒUR ÉCLATÉ, Leméac, 1993
UN ANGE CORNU AVEC DES AILES DE TÔLE, Leméac/Actes Sud, 1994

CHRONIQUES DU PLATEAU MONT-ROYAL

LA GROSSE FEMME D'À CÔTÉ EST ENCEINTE, Leméac, 1978
THÉRÈSE ET PIERRETTE À L'ÉCOLE DES SAINTS-ANGES, Leméac, 1980; Grasset, 1983
LA DUCHESSE ET LE ROTURIER, Leméac, 1982; Grasset, 1984
DES NOUVELLES D'ÉDOUARD, Leméac, 1984
LE PREMIER QUARTIER DE LA LUNE, Leméac, 1989

THÉÂTRE

LES BELLES-SŒURS, Leméac, 1972
EN PIÈCES DÉTACHÉES, Leméac, 1970
TROIS PETITS TOURS, Leméac, 1971
À TOI POUR TOUJOURS TA MARIE-LOU, Leméac, 1972
DEMAIN MATIN, MONTRÉAL M'ATTEND, Leméac, 1972
HOSANNA suivi de *LA DUCHESSE DE LANGEAIS*, Leméac, 1973
BONJOUR LÀ, BONJOUR, Leméac, 1974
LES HÉROS DE MON ENFANCE, Leméac, 1976
SAINTE CARMEN DE LA MAIN suivi de *SURPRISE! SURPRISE!*, Leméac, 1976
DAMNÉE MANON, SACRÉE SANDRA, Leméac, 1977
L'IMPROMPTU D'OUTREMONT, Leméac, 1980
LES ANCIENNES ODEURS, Leméac, 1981
ALBERTINE EN CINQ TEMPS, Leméac, 1984
LE VRAI MONDE?, Leméac, 1987
NELLIGAN, Leméac, 1990
LA MAISON SUSPENDUE, Leméac, 1990
LE TRAIN, Leméac, 1990
MARCEL POURSUIVI PAR LES CHIENS, Leméac, 1992
THÉÂTRE I, Leméac/Actes Sud Papiers, 1991
EN CIRCUIT FERMÉ, Leméac, 1994

ADAPTATIONS (THÉÂTRE)

LYSISTRATA (d'après Aristophane), Leméac, 1969, réédition 1994
L'EFFET DES RAYONS GAMMA SUR LES VIEUX GARÇONS (de Paul Zindel), Leméac, 1970
ET MADEMOISELLE ROBERGE BOIT UN PEU (de Paul Zindel), Leméac, 1971
MADEMOISELLE MARGUERITE (de Roberto Athayde), Leméac, 1975
ONCLE VANIA (d'Anton Tchekov), Leméac, 1983
LE GARS DE QUÉBEC (d'après Gogol), Leméac, 1985
SIX HEURES AU PLUS TARD (de Marc Perrier), Leméac, 1986
PREMIÈRES DE CLASSE (de Casey Kurtti), Leméac, 1993

SCÉNARIO

IL ÉTAIT UNE FOIS DANS L'EST, VLB, 1974, (avec la collaboration d'André Brassard)

Michel Tremblay

LA NUIT
DES PRINCES CHARMANTS

roman

LEMÉAC / ACTES SUD

Leméac Éditeur bénéficie du soutien financier du Conseil des arts du Canada pour son programme de publication.

Illustration de couverture :
Hippolyte-Jean Flandrin, *Jeune homme nu assis au bord de la mer*, 1885.
Musée du Louvre. Paris

Au fil de ce récit, j'ai plongé quelques personnalités connues dans des aventures absurdes, mais toujours à partir de faits véridiques; j'espère qu'elles le prendront avec humour et sauront me le pardonner.

Pour Gordon qu'il m'arrive encore de croiser dans la rue ou au théâtre et que je n'ose jamais aborder, par pure timidité.

— Hélas, dit Candide, je l'ai connu, cet amour, ce souverain des cœurs, cette âme de notre âme; il ne m'a jamais valu qu'un baiser et vingt coups de pied au cul.

Voltaire, *Candide*

PRÉAMBULE

Tout est en place. Le troisième acte s'est bien installé, les personnages — Mimi, Rodolfo, Marcello — ont eu le temps de nous situer dans l'action : Mimi tousse de plus en plus, Rodolfo prétend vouloir l'abandonner, Marcello se trouve coincé entre eux, éternel confident de deux amants qui s'adorent sans pouvoir se supporter, la musique brasse le tout en rythmes lents qui me font bouger la tête de droite à gauche. J'ai fermé les yeux dès les premières mesures. Je n'ai pas besoin du livret, je connais le texte par cœur.

Sur le tourne-disque tout neuf acheté par correspondance et que mon frère aîné a mis une grande semaine à monter, Victoria de Los Angeles, Jussi Bjoërling et Robert Merrill s'époumonent à mon grand ravissement.

Écrasé dans le gros fauteuil de faux cuir, les mains jointes sur un début de bedon qui provoque depuis quelques mois l'hilarité de ma famille — la fin de mon adolescence et le début de mon âge adulte sont plus préoccupés de biscuits au chocolat et de tasses de Nestlé Quick que de marches au grand air et d'exercice physique —, j'attends le grand moment.

Ça s'en vient, la chose aura lieu dans quelques secondes ; tout en les gardant croisées, je lève les mains doucement, les dépose dans la région de mon cœur. Le miracle se reproduira-t-il ? Ressentirai-je encore cette incroyable impression de couler dans la cuirette rouge vin comme si mon corps était devenu un bateau trop pesant sur une mer trop petite ? L'extase, du moins quelque chose s'en approchant, a toujours lieu, toujours, ça n'est jamais arrivé que mon âme ne s'envole pas pendant que mon corps s'imprimait dans le faux cuir, mais chaque fois j'ai peur de ne rien ressentir, d'arriver à ce point de saturation où une seule écoute, celle de trop, mon attention étant portée sur autre chose, un problème trop cuisant qui exacerbe mes forces vives et m'empêche de me concentrer, par exemple, gâchera à tout jamais le plaisir que je trouve à écouter cette scène presque chaque jour depuis si longtemps.

Rodolfo vient d'avouer qu'il était de mauvaise foi, qu'il ne veut pas vraiment abandonner Mimi, qu'il l'aime à en crever mais qu'il a peur parce que...

Ça y est.

Mimi è tanto malata!

Les cordes, les violoncelles surtout, qui battent comme un cœur au ralenti, cette mélodie déchirante dont je n'arrive plus à me débarrasser, qui m'empêche même parfois de dormir, Mimi, cachée derrière la Barrière d'Enfer, qui apprend qu'elle va mourir, le désespoir de Rodolfo, le malaise de Marcello conscient de la stupeur, de l'effroi de Mimi, toute cette musique souffreteuse et énergique à la fois et d'une confondante efficacité posée sur un mélodrame au demeurant fort ordinaire, toute cette coulée de sons faits pour plaire, sans complexe, sans vergogne, me transportent une fois de plus dans cette région de moi-même que je voudrais pouvoir ne jamais quitter : le réconfort du rêve éveillé.

Le trio s'enroule autour de moi, je me vautre dedans, je vis avec une grande délectation les trois malheurs qui se déploient en même temps dans mon oreille, je peux vivre simultanément trois malheurs, c'est ça, je crois, qui me plaît le plus.

D'habitude, je ne m'identifie à aucun des trois personnages en particulier quand j'écoute cette scène. Je ne suis pas de ces amateurs d'opéra qui rêvent d'être Maria Callas souffrant aux pieds de Giuseppe di Stefano ou Renata Tebaldi aux prises avec le vilain Tito Gobbi, non, rien en moi ne me porte à m'imaginer en Floria Tosca plongeant le couteau dans la poitrine du sombre Scarpia, en Salomé insistant pour embrasser la bouche de la tête coupée de Jean-Baptiste ou en Lucia di Lamermoor vrillant ses trilles à qui mieux mieux pendant son invraisemblable scène de la folie... Je ne suis pas du tout porté à m'iden-tifier aux personnages féminins plus qu'aux autres ; je suis habituellement le personnage qui chante si j'aime ce qu'il chante — il faut me voir gesticuler avec ma cape pendant l'air du toréador ou léviter dans la nuit ceylanaise en attaquant l'air de Nadir des *Pêcheurs de perles* — et tous en même temps pendant les ensembles — la joie de se fendre en quatre en écoutant l'avant-dernier acte de *Rigoletto* ou en sept pendant la scène de dénoncia-tion de *Lucia* ! ; je suis même le chef d'orchestre quand éclatent les plus beaux préludes et inter-mezzi ou, plus rarement tout de même, un per-sonnage muet qui assiste avec une joie méchante aux malheurs des autres.

Mais je ne fais jamais partie des chœurs. On a quand même son orgueil ! Les chœurs sont les seuls morceaux d'opéra que j'écoute de l'extérieur, en restant assis dans mon fauteuil, en *regardant* dans ma tête un spectacle plutôt qu'en le vivant comme si j'étais un des protagonistes. J'aime écouter les chœurs, je n'aime pas les vivre.

Mimi, Rodolfo et Marcello tricotent leur dé-chirant trio et je suis au comble du bonheur. Les choses que j'ai à chanter, je veux dire les mots, sont d'une confondante banalité, je mets donc toute mon âme dans la musique, et mon cœur sombre d'un seul coup dans le chagrin de ce peintre raté qui voit se défaire devant lui un couple d'amis.

Je connais deux ou trois minutes de pure extase. Le miracle a encore eu lieu, merci monsieur Puccini.

Le trio se termine, Marcello quitte les deux autres parce qu'il vient d'entendre la voix de sa bien-aimée et combien frivole Musetta que je n'ai jamais pu souffrir, allez savoir pourquoi, et mon attention est quelque peu perturbée par une idée qui vient de me frapper. Je laisse donc Jussi et Victoria à leurs retrouvailles pour me concentrer sur cet embryon de pensée toute nouvelle qui, je le sens, pourrait prendre une grande importance dans ma vie si je m'y attardais.

Je n'ai pas encore aimé — j'ai failli mourir d'amour quand Marlon Brando s'est déchiré le t-shirt sale en hurlant: «Stella! Stella!» et j'ai eu une flambée pour Burt Lancaster dans *Trapeze*, mais je n'ai pas encore vraiment aimé — et je me demande souvent, sourcils froncés et le trac au cœur, quand ça va se déclencher, où est-ce que je serai, avec qui ce sera et comment ça va se passer...

Comme je suis le seul homosexuel de mon groupe, je ne sais pas où aller pour en rencontrer d'autres et ma grande timidité m'empêche de m'informer. Je me dis souvent que ce n'est pas en restant écrasé dans le fauteuil rouge à écouter Leonie Rysanek chanter la *Chanson du saule* que je risque de trouver l'âme sœur. Il y a bien le parc Lafontaine pour faire exulter le corps, mais ça ne reste que des attouchements impersonnels qui n'ont rien à voir avec quelque sentiment que ce soit. Mais je ne me décide pas à faire le grand saut, à partir à l'aventure ou, du moins, à la recherche de mes semblables, je me contente de sublimer depuis déjà trop longtemps, j'en suis parfaitement conscient et je n'y peux rien.

C'est bien beau sublimer, mais je commence à être pas mal vieux pour rêver que Jean Besré se meurt d'amour pour moi ou que Guy Provost m'enterre sous des tonnes de fleurs coupées parmi les plus rares et les plus odorantes. Ce petit théâtre ne suffit pas à remplir ma vie ni à combler mon besoin d'amour.

En écoutant la fin du troisième acte de *La Bohème* ce jour-là, je me fais une promesse qui me met un peu de couleurs aux joues et m'accroche un sourire de satisfaction. C'est un rêve encore, bien sûr, mais je sens que c'est l'ultime échappatoire avant le grand plongeon, un dernier accroire, comme dirait ma mère, avant la vraie chose, et je m'y vautre avec une évidente complaisance.

Je dis toujours à tout le monde, surtout à ceux qui le détestent, que ce que j'aime à l'opéra c'est que rien, jamais, n'est réaliste pour la simple raison que tout est *chanté*. C'est le théâtre parfait, la transposition complète : tout est permis parce que tout est absurde et tout est absurde parce que tout est chanté. C'est absurde de chanter de sublime façon pendant quinze minutes avec un poignard plongé dans la poitrine comme Riccardo dans *Un bal masqué*, ou enfermée dans une poche à patates comme Gilda à la fin de *Rigoletto*, ou bien encore comme la pauvre Mimi, justement, quand on meurt d'une maladie respiratoire! Mais la beauté de l'opéra, souvent, tient justement dans la seule présence de la musique parce que ce qui est chanté est vraiment trop bête... On pardonne à la musique ce qu'on ne pardonnerait jamais au texte, on s'accroche aux sensations que nous procure la musique plutôt qu'au sens de ce qui est chanté, on se laisse aller à sentir plutôt qu'à penser.

En fait, l'opéra nous donne la permission d'être quétaines! Les chic connaisseurs de Bayreuth et de La Scala, l'engeance la plus snob et la plus discriminatoire du monde, le savent-ils qu'ils sont de vénérables quétaines? J'y pense souvent et je ris dans ma barbe naissante.

Alors, avec ce sens de la dérision qui me caractérise depuis mon enfance, cette façon que j'ai de toujours transposer ce qui ne fait pas mon affaire — les peines, les punitions, les revers de toutes sortes, pour les vivre à travers la culture plutôt que dans la réalité de façon à ne pas vraiment souffrir —, il me vient cette idée, sûrement parce que j'ai peur du premier amour qui pourrait me tomber dessus à tout moment, d'aimer en chantant! Comme à l'opéra!

Je me vois me déclarer à un autre gars en serinant un air magnifique, rimes riches et accents toniques bien placés, dans un décor un peu ridicule mais pas trop, baigné dans une lumière dessinée par un grand artiste et habillé comme jamais je n'oserais le faire dans la vraie vie : quelque chose entre le Moyen Âge et la Renaissance, collant et coloré... Cette transposition de ce que je désire le plus au monde sans avoir le courage de l'accomplir m'enlève un peu de ma retenue et, pendant que se déroule le quatrième acte de l'opéra de Puccini, je bascule sans m'en rendre compte dans un strip-tease psychologique des plus soulageants : je passe lentement du Moyen Âge à l'ère moderne, des collants aux jeans, de la chemise bouffante au t-shirt, du décor léché à la triste réalité de celui dans lequel j'évolue et, pour la première fois de ma vie, j'essaie d'imaginer de quoi aura l'air mon premier chum. Mais, dernier fil me retenant au rêve, ultime façon de m'accrocher à l'absurde, je continue à chanter.

Oui, quand j'aimerai, j'aimerai en chantant!

LE PRINCE CHARMANT EXISTE-T-IL?

J'avais dix-huit ans, j'étais vierge et j'en avais assez de sublimer en rêvant dans mon lit à des êtres inaccessibles ou en tripotant dans l'ombre des parcs publics des corps fugitifs qui n'étaient pas là pour l'amour mais pour la petite mort qui dure si peu longtemps et qui peut être si triste quand elle n'est agrémentée d'aucun sentiment. Je n'avais pas encore connu l'amour dans ses atours classiques — le lit qui craque, les longs ahanements, les draps froissés, l'odeur des corps avant, pendant, après, la cigarette postcoïtus, le prochain rendez-vous sollicité en tremblant de peur de se faire refuser — et je me disais qu'il était grand temps que je me décide à sauter le pas.

De plus, nous étions en hiver, période plutôt creuse pour les amateurs de célébrations bucoliques à la belle étoile et j'étais en manque. La neige, jamais ramassée, s'accumulait jusqu'à six ou huit pieds dans le parc Lafontaine, les chemins pour piétons étaient souvent impraticables, les nuits trop froides et les vêtements matelassés peu commodes au dézippage rapide. De toute façon, l'amour dans les congères n'a jamais été mon genre.

Quant aux bars dont j'entendais de temps en temps vanter les vertus par un camarade de frotti-frotta plus bavard que les autres, j'étais beaucoup trop timide et complexé pour les fréquenter, convaincu qu'au moment même où je franchirais la porte du Tropical ou des Quatre Coins du Monde, tous deux situés dans l'Ouest de la ville, toujours le fief des anglophones de Montréal, des dizaines de têtes se tourneraient vers moi et les grimaces de dégoût se multiplieraient quand on verrait surgir ce vulgaire avatar de l'Est que j'étais : « Que c'est ça, c't'agrès-là ? », « Mon Dieu, y'ont laissé sortir les laids, à soir ! », « Look at that ! The Eastern Bunny ! », etc.

Alors je continuais de sublimer. Tellement, que même Marlon Brando et Burt Lancaster finissaient par perdre de leur intérêt érotique, comme de vieilles connaissances trop fréquentées.

Il fallait donc que je ramasse mon courage, autant que possible un samedi soir, que je me mette sur mon trente-six — pantalon serré, col roulé noir, breloque pendue à mon cou par un lacet de cuir, bottes d'hiver pas trop rongées par le calcium —, que je saute dans un autobus et que je fonce droit sur un des bars louches — on les appelait encore ainsi à l'époque —, sans penser à mes complexes ni à mes inquiétudes. Bonne chance, à-Dieu-vat, merde et advienne que pourra !

Entre l'intention et l'accomplissement, cependant, plusieurs semaines passèrent en ressassements de Marlon en t-shirt de plus en plus sale et de Burt frenchant goulûment Deborah Kerr dans les vagues déchaînées du Pacifique. Tout ce temps-là, évidemment, Deborah Kerr était affublée d'un joli pneu autour de la taille, son maillot n'avait pas de haut et elle arborait une coupe « César » ainsi qu'un début de moustache des plus seyants... Mais quand Marlon me remplaça dans les bras de Burt et que je me surpris à dérouler dans ma tête un film porno dont je ne faisais plus partie, je me dis qu'il fallait que je me décide avant de devenir complètement passif ou de perdre tout intérêt pour ce qui n'était pas machination de l'imagination.

La vie, la vraie vie, allait commencer; j'étais mort de trac. Serais-je à la hauteur, lui-même le serait-il? Me transporterait-il au septième ciel ou me ferait-il regretter mes séances quand même relativement satisfaisantes du parc Lafontaine et du creux de mon lit? Et moi, est-ce que je saurais seulement quoi faire?

Une façon quelque peu détournée d'inaugurer ma vie dissolue se présenta au milieu du mois de janvier; j'en fus ravi sans me douter que cette sortie, pourtant planifiée dans ses moindres détails, m'entraînerait dans les méandres de mondes dont j'ignorais même l'existence.

*

Je feuilletais distraitement le *Petit Journal* comme tous les samedis, m'attardant sur les faits divers les plus insignifiants ou la colonne de Louise Cousineau consacrée aux potins féminins, lorsque je tombai sur une interview de Pierrette Alarie. Je venais justement d'écouter le disque sur étiquette Deutsche Grammophon qu'elle avait consacré, avec son mari Léopold Simoneau, à des duos d'opéras français. Les deux chanteurs étaient rapidement devenus mes idoles et j'avais cassé les oreilles de ma famille pendant des semaines avec le duo des *Pêcheurs de perles*, et l'air des clochettes de *Lakmé*.

Madame Alarie annonçait qu'elle allait interpréter Juliette du *Roméo et Juliette* de Gounod, au théâtre Her Majesty's, dans quelques semaines, en compagnie de l'Américain Richard Cassily et d'une pléiade d'autres chanteurs canadiens, dont Fernande Chiocchio, Napoléon Bisson, Gaston

Gagnon et Claude Létourneau. Elle nous promettait une magnifique production, des décors somptueux, des costumes colorés, une musique passionnée, enfin bref un événement important dans la vie culturelle de Montréal qu'il serait criminel de manquer...

De Gounod, je ne connaissais que l'inévitable *Faust* pour lequel j'avais eu une passion pendant toute mon adolescence — ah! le trio final avec Victoria de Los Angeles, Nicolaï Gedda et Boris Christoff! Je ne savais même pas qu'il avait composé un *Roméo et Juliette*. Cette nouvelle me mit dans un état d'excitation incroyable: j'aurais enfin l'occasion d'entendre une de mes idoles en chair et en os dans une vraie production d'opéra. Un opéra que je ne connaissais pas, en plus! Je parcourus l'article plus rapidement, à la recherche du prix des billets. On n'en parlait pas. Je tournai nerveusement les pages artistiques... Il devait bien y avoir une annonce quelque part... Mon Dieu! Trois dollars cinquante! C'était un prix exorbitant pour moi, mais je refusais cette fois de me contenter d'un billet pour étudiant à quatre-vingt-dix cents, dans le fin fond du deuxième balcon ou au bout d'un rang à l'avant du parterre, là où on voit tout de profil. Ce serait mon premier spectacle d'opéra, il n'était pas question que je me retrouve coincé dans un siège inconfortable aux confins du paradis, les genoux collés sur le fauteuil d'en avant, avec une vue imprenable sur le plancher de scène et les crânes des chanteurs!

Ma mère m'avança la somme en rechignant un peu: «Une chance que j'tiens pus les comptes de ce que tu me dois, parce que tu me devrais de l'argent jusqu'à la fin de tes jours!» Et je partis immédiatement pour le Her Majesty's.

À cette époque, j'étais en première année à l'Institut des arts graphiques, je me destinais donc, pas par goût mais par pure paresse, à un métier d'imprimerie, comme mon père, comme mon frère, sans savoir encore tout à fait lequel. La première année servait d'introduction à l'imprimerie : nous faisions le tour de toutes les spécialisations et, au début de la deuxième, viendrait le moment du choix définitif. Jusque-là, les métiers fréquentés, la typographie et les presses, m'avaient grandement déprimé, mais je n'osais pas l'avouer à mes parents trop heureux tous les deux que j'aie jeté mon dévolu sur un métier depuis septembre plutôt que de continuer à claironner partout que je voulais devenir écrivain comme je l'avais fait ces dernières années. Je voulais toujours écrire, mais j'avais compris qu'il fallait aussi que je gagne ma vie.

Pour me faire de l'argent de poche, j'avais été livreur de barbecue pendant quatre ans ; on m'avait remplacé — c'est la stricte vérité — par une flotte de camions, le restaurant rêvant de concurrencer le déjà tout-puissant Saint-Hubert Barbecue. Fini, le tit-cul qui sillonne les rues du Plateau Mont-Royal à pied, de Rachel à Saint-Grégoire, d'Amherst à Frontenac, les bras chargés de sacs à poignées fleurant le poulet rôti et la sauce piquante, il fallait voir grand, viser haut ! Ça n'avait pas marché : les camions étaient restés stationnés dans la ruelle pendant quelques mois puis avaient disparu du jour au lendemain, mais on ne m'avait pas rappelé ; alors je vivais à nouveau aux crochets de mes parents tout en regardant le pauvre nouveau livreur — on lui avait tout de même fourni une bicyclette, le chanceux — passer devant la maison en soufflant comme un phoque. Sillonner les rues de Montréal à bicyclette en plein mois de janvier, fallait le faire et je le plaignais sincèrement.

J'essayais de ne pas exagérer dans mes dépenses, mais mes goûts pour tout ce qui était culturel

— le cinéma, les livres, le théâtre, les disques —
finissaient par coûter cher à ma mère qui tenait les
cordons de la bourse comme une grande ourse
veille sur ses petits.

Par exemple, je voulais acheter un livre:
«Encore! T'en as acheté un, la semaine passée!
— Je l'ai fini.
— Qu'est-ce que tu vas faire avec? Au moins,
quand t'allais à la bibliothèque municipale, t'allais
les reporter pis on les revoyait pus! Là, y traînent
pis on sait pas quoi faire avec.
— Y'en a que tu lis...
— Ben oui, mais quand j'ai fini moi aussi, sont
dans mon chemin! La bibliothèque de ton frère
est déjà pleine, j'sais pus où les mettre! Vends-les!
Ou ben donc loue-les!
— Moman! Franchement!»

Mais elle cédait toujours, préférant me voir lire,
je suppose — ou partir pour le cinéma —, même
si ça lui coûtait cher, plutôt que de me regarder
fumer ou boire de la bière.

Alors, ce matin-là:
«Trois piasses et demie pour aller voir un
opéra! Tes disques coûtent ça, pis tu les as pour
toujours!
— Mes disques coûtent plus cher que ça...
— Ben oui, quatre piasses et quart! Franchement! Fais-moi pas parler pour soixante-quinze
cennes!
— Ben, tu dis toujours que mes disques sont
dans ton chemin!
— C'est pas tes disques qui sont dans mon
chemin, c'est tes livres!
— C'est pas pareil? Mes disques prennent
encore plus de place que mes livres, pourtant!
— Y servent plus, aussi! Quand t'as fini un
livre, tu le mets de côté. Mais tes maudits disques
d'opéra... Tu te tannes jamais de toujours écouter

les mêmes chanteurs beugler les mêmes affaires plates à' journée longue?

— On recommencera pas avec ça, moman!

— Ton opéra, là, quand tu vas sortir de là, y te restera pus rien!

— Tu nous parles encore des films que t'as vus y'a vingt-cinq ans, moman, tu pleures encore en nous contant *Since You Went Away* pis *I Remember Mama*, pourquoi j'aurais pas le droit de faire la même chose avec un opéra!

— Savoir que tu vas me rabâcher les oreilles pendant vingt-cinq ans avec c't'opéra-là, mon p'tit gars, j't'la donnerais pas pantoute, l'argent!»

Une autre discussion loufoque qui ne mènerait nulle part. Je pris mon mal en patience et ma mère finit par sortir sa sacoche bleu poudre en plastique transparent, ornée de fleurs en soie qui avaient jauni au soleil.

«T'as besoin de tout me remettre ça quand tu vas travailler, par exemple...

— Quand j'vas travailler, moman, tu vas être la mère la plus gâtée de la création!

— Ouan, c'est ça... mais j'vas être trop vieille pour l'apprécier!»

*

Au lieu de rendre les Montréalais joyeux, ce redoux qui nous était tombé dessus la nuit précédente, à cause de la neige fondue, des trous d'eau, des dangereux glaçons qui se formaient partout, conférait à ce samedi après-midi pourtant ensoleillé un curieux petit goût de drame qui couve, de catastrophe qui mitonne. Personne n'avait envie de courir en hurlant «C'est le printemps! C'est le printemps!», comme au début de mars quand la neige fond vraiment et qu'une promesse de douceur se dessine à l'ouest. Tout le monde sacrait, les pieds gelés, mouillés, les fessiers humides parce que les chutes n'étaient pas rares, et le manteau à moitié ouvert à cause de cette chaleur suspecte qui risquait de cacher plus le virus de la grippe qu'un vrai avant-goût de printemps. On savait que ce n'était qu'un sursis, une journée hypocrite qui pourrait bien se terminer dans la pluie ou dans la rafale et on refusait de se laisser avoir par la moindre petite parcelle d'espoir. Janvier, c'était irrévocable, représenterait toujours le désespoir pour les Montréalais.

Seuls les enfants s'amusaient : les balles de neige fusaient de toute part, des tas de guenilles rouges, bleues, vertes, chutaient des balcons extérieurs sous les exclamations des adultes éplorés qui avaient pourtant fait la même chose vingt ans plus tôt : « Maurice, tu vas te tuer ! » ; « Rentre dans' maison, là, Raymonde, rentre dans' maison avant de t'estropier pour le restant de tes jours ! » ; « Hiiiips ! Comment vous faites pour pas avoir le vertige ! Sauter du *troisième* étage, comme ça, si ça a du bon sens ! » Les yeux grands ouverts, la morve au nez, les mitaines mouillées, les plus petits enviaient leurs aînés d'avoir le courage de se laisser tomber de si haut dans les bancs de neige fondante. Ah ! le vertige... Ah ! l'excitation... « J'peux-tu y aller avec toé ? », « Es-tu fou, t'es tellement p'tit que tu rebondirais ! »

J'avais les deux pieds trempés avant même de prendre le premier autobus. J'essayais de marcher dans les pas des gens qui m'avaient précédé sur le trottoir, mais chaque trace de pied se remplissait aussitôt d'une eau glacée, épaisse, qui passait à travers les bottes les mieux bourrées et vous gelait les bas de laine en une demi-seconde.

L'autobus sentait le chien mouillé, les manteaux de laine dégouttaient sur le plancher, les fenêtres étaient embuées, le conducteur, d'humeur massacrante, bardassait tout le monde, les passagers, trop nombreux, entassés les uns sur les autres, se plaignaient du service trop lent, de la ville qui ne faisait pas sa job de déblayage, du maire qui s'intéressait plus aux réceptions qu'il donnait qu'à ses concitoyens qui gelaient tout rond à cause de sa scandaleuse négligence. On l'avait élu pour des jours comme aujourd'hui, pas pour des commémorations inutiles ou des discours creux!

La rue Sainte-Catherine était bloquée dans les deux sens; un bouchon s'était formé en direction de l'ouest à partir de Bleury et je dus marcher le reste, une demi-heure d'enfer à patauger dans la sloche en maudissant mon amour pour l'opéra.

J'aurais pu téléphoner, réserver ma place, dire que je passerais chercher mon billet dans quelques jours, mais je voulais l'avoir en main, le mettre en sûreté, le regarder quand j'en aurais envie, le montrer à mes amis pour les agacer, surtout Pierre Morrissette qui, lui aussi, traversait sa phase opératique, peut-être par mimétisme, peut-être par goût véritable.

Je fis une station devant chaque cinéma que je croisai: le Princess, le Palace, le Cinéma de Paris, le Capitol, le Loew's, le Seville, pour réchauffer mes pieds autant que pour regarder les affiches. Au Seville, Sophia Loren et Charlton Heston s'embrassaient passionnément devant un panorama de désert sec et torride, les chanceux! J'avais vu *El Cid* quelques semaines plus tôt et je m'étais ennuyé à mourir, mais là, les pieds gelés, le bord du pantalon humide, convaincu qu'un rhume de cerveau se concoctait quelque part dans la région de mes sinus, j'avais envie de payer ma place, de passer trois heures à contempler les paysages espagnols et le sable brûlant du désert. Au diable Rodrigue, au diable Chimène, et vive la chaleur!

33

La rue Sainte-Catherine à l'ouest de Peel était pour moi un mystère insondable que je n'essayais pas encore de percer. Pendant toute mon enfance, j'avais ignoré que les Anglais existaient, que Montréal était séparée en deux, l'Est nous appartenant à nous, francophones, et l'Ouest aux Anglais, qu'un conflit existait entre les deux solitudes, comme on les appelait, que ce conflit datait de la Conquête de 1760 et qu'on doutait de jamais en voir l'issue, la mauvaise foi régnant souvent dans les deux camps et empêchant les parties de vraiment communiquer.

J'avais longtemps trouvé curieux, qu'il existe deux Père Noël : l'un, francophone, chez Dupuis Frères, l'autre, anglophone, chez Eaton. Chaque mois de décembre, ma mère m'emmenait visiter les deux Père Noël et je demandais les mêmes cadeaux à chacun en français, me doutant bien que le deuxième ne me comprenait pas, reconnaissant à ma mère, cependant, de traduire pour moi train électrique, poupées à découper, jeux de blocs et livres d'images.

Mon nationalisme était né entre autres de la difficulté, depuis que j'avais franchi la frontière de la rue Saint-Laurent pour me rendre aux salles de cinéma situées à l'Ouest, à me faire servir en français dans ma propre ville. En cet après-midi de janvier trop doux, exaspéré par mes vêtements mouillés et convaincu de couver une grippe monstrueuse, j'aurais plaint celui ou celle qui aurait refusé de me parler dans ma langue.

J'arrivai au Her Majesty's transi et tremblant.

Une petite queue s'allongeait dans le hall, tous des jeunes hommes à peine plus âgés que moi, sauf une dame vieillissante, au guichet, qui avait beaucoup de difficulté à prononcer le nom de Pierrette Alarie qu'elle ne connaissait pas et dont elle demandait le pedigree à la pauvre caissière que je voyais gesticuler d'impatience.

Les jeunes hommes se tournèrent tous dans ma direction à mon arrivée et...

Ces regards insistants, cette façon languide de se tenir, ces vêtements très différents de ceux que portaient habituellement les gens que je connaissais mais que j'aurais choisis, moi, si on m'avait laissé traîner tout seul pendant quelques heures dans la section hommes d'un grand magasin...

Mon Dieu!

Je n'étais pas le seul à Montréal à traverser une période Robert Merrill. Et j'étais tombé dans un nid de condisciples.

Je crois bien avoir rougi d'un seul coup, en tout cas je me mis à la recherche de mon argent, tête penchée, menton rentré dans mon foulard, pour cacher mon embarras et me donner une contenance. Je pris ma place dans la file en me faisant le plus petit possible. Mes vêtements claironnaient-ils mon origine roturière? Est-ce que je sentais encore le restant de soupe aux pois que j'avais mangé avec tant d'appétit avant de partir de la maison? Le pompon de ma tuque était-il trop gros?

La vieille dame continuait à poser des questions; je n'entendais pas ce que lui répondait la guichetière sous les soupirs d'agacement des jeunes hommes qui profitaient de l'occasion non seulement pour exprimer leur impatience mais, surtout, pour s'aborder sans avoir l'air de se draguer. Ils étaient probablement là pour la même raison que moi, mais on les aurait torturés qu'ils ne l'auraient jamais avoué.

Celui juste devant moi — je le baptisai immédiatement Festival International de la Tache de Rousseur — se tourna une deuxième fois dans ma direction avec un petit sourire amusé qui me le rendit aussitôt sympathique.

«Honestly! She doesn't even *know* who Perrette Hallery *is*!»

Perrette Hallery?

Je réfugiai mon fou rire dans le col de mon manteau que je n'avais pas encore ouvert. Mais j'étais sûr que mes oreilles flamboyaient dans le hall tant je les sentais chaudes, palpitantes.

«You *do* know who she is, don't you? Perrette Hallery?»

Je m'entendis répondre un petit «Yes» faiblard et m'en voulus aussitôt. Je n'allais tout de même pas me mettre à parler anglais parce qu'un roux un peu trop joli daignait m'adresser la parole!

«You're French, aren't you?

— Yes! (encore!)

— And you're laughing because I can't prononce her name properly?

— No, no...

— How do *you* prononce it?»

Je sortis mon plus joli accent, en faisant bien attention de ne pas rouler mes r, preuve indiscutable de mon origine montréalaise de basse classe:

«Pierrette Alarie.

— It's quite different from what I said...

— Yes, it is...

— You love her?

— Maddely.

— Not *maddely*, madly. Two syllables, not three. We're even...»

La vieille dame passait près de nous en trottinant. Elle s'adressa au joli roux comme si elle le connaissait.

«I wish the Opera Guild would produce operas with real singers, not *locals*!»

Toutes les têtes se tournèrent vers elle et le jeune homme qui achetait son billet lui jeta, méprisant:

«Lady, Perrette Hallery is one of the best opera singers in the world!»

Cette fois, c'était la fierté qui me faisait rougir et je grandis d'un bon pouce.

Ils avaient tout de même du goût!

La vieille dame sortit en haussant les épaules. À son avis, cette ville ne pouvait certainement pas fournir l'une des plus grandes chanteuses d'opéra du monde, tout ce qu'elle avait à offrir, c'était des flaques de sloche et des grippes carabinées!

Les clients qui formaient la queue savaient ce qu'ils voulaient: la représentation, le prix, le bord ou le milieu du rang, parfois même le fauteuil précis; la queue raccourcissait rapidement. Leurs billets achetés, cependant, ils flânaient dans le hall en faisant semblant de vérifier leur monnaie ou de consulter les affiches des spectacles à venir, l'œil aux aguets et, j'en étais convaincu, le cœur battant.

Quelqu'un leur parlerait-il ou devraient-ils attendre le soir du spectacle pour qu'on les aborde enfin...

Un couple, déjà, s'était formé, deux feluettes boutonneux d'une grande laideur qui, aussitôt échangée la poignée de main de présentations, s'étaient lancés dans un concours de dates d'enregistrements, de qui chantait avec qui, quand et où, animés tout à coup, moins enclins à la drague qu'à l'étalage de leurs connaissances, heureux de trouver enfin sinon l'âme sœur, du moins une proche parente. Je n'entendais que Callas, Callas, Callas, et je secouai un peu la tête. Évoluez un peu, les gars, regardez ailleurs, ouvrez votre âme, ne vous enfermez pas dans l'étroite idolâtrie d'une seule vestale, aussi géniale soit-elle! J'avais envie de leur parler, de leur faire la leçon, de leur vanter Leonie Rysanek, ou Birgit Nillson, ou ma belle Victoria de Los Angeles, mais je savais que ce serait impoli et inutile : ils s'étaient reconnus, se trouvaient intéressants, parlaient déjà d'aller prendre un café, tant mieux pour eux ! J'étais même au bord de les envier de s'acoquiner aussi facilement alors qu'ils étaient plus laids que moi.

Mon roux tavelé achetait deux billets et je me pris à essayer de deviner de quoi aurait l'air celui qui l'accompagnerait... Un autre roux ? Un blond fadasse ? Puis j'eus un peu honte de mon sectarisme, des clichés faciles sur lesquels mon imagination avait tendance à se jeter et essayai d'imaginer mon roux avec... avec... Mais il ajouta, en tournant un peu la tête pour que je l'entende, du moins c'est ce que je crus deviner :

« Yes, first row, please. My mother's eyes aren't very good... But not in the center... »

Il venait avec sa moman !

Je voyais déjà Maureen O'Hara faire son entrée dans le Her Majesty's au bras de son fils ; ils se dirigeaient vers moi ; présentations, parfum cher, capiteux, robe évidemment vert émeraude et échancrée à faire peur, sourire dévastateur, voix sensuelle.

« My son told me you were cute, but I never thought... »

Une petite tape sur l'épaule me fit revenir à la réalité. J'étais seul devant le guichet, la caissière me scrutait d'un air curieux. Mon roux n'était plus là. Je me tournai, à sa recherche. La queue s'était reformée derrière moi — une dizaine d'hommes plus ou moins jeunes qui s'impatientaient, deux madames âgées, des sœurs, j'en étais convaincu tant leurs chapeaux se complétaient, le prêtre chauve qui avait pris l'initiative de me sortir de ma rêverie tout en me télégraphiant ses intentions avec un sourire non équivoque —, mais Perrette Hallery avait bel et bien disparu.

L'idylle avait été de courte durée !

Je me penchai vers le guichet, faillis me geler le bout du nez sur la vitre restée froide malgré le chauffage qui n'arrivait pas à tuer l'humidité régnant dans le hall du théâtre.

«One ticket for the 26, please. The best one you have.»

La caissière hésita un peu, puis me dit, un peu bêtement:

«Vous pouvez me parler en français, hein, c'est permis!»

J'entendis un petit ricanement derrière moi.

La honte n'est pas un sentiment qu'on ressent uniquement dans les grandes humiliations de la vie; elle surgit souvent, cuisante, oppressante, dans des moments plutôt sans conséquence, imprévus, alors que votre vulnérabilité, désarmée, est la plus sensible et votre combativité à son point zéro. Elle vous paralyse alors, vous laisse sans voix, sans pensée, vide et malheureux.

Vide et malheureux, je l'étais devant cette jolie vendeuse de tickets que j'aurais moi-même agonie d'injures si elle avait osé s'adresser à moi en anglais et qui avait tout à fait raison de me rabrouer. Les oreilles rouges et le menton tremblant (voyons, voyons, t'as dix-huit ans, t'es pus un enfant, prends sur toi, t'es capable de te défendre), je balbutiai ma commande dans une langue qui s'approchait plus du baragouinage d'un enfant naissant que de l'expression claire et précise d'un cerveau adulte. Je payai rapidement, empochai mon ticket et me jetai sur les portes du théâtre sans regarder vers la queue où, j'en étais convaincu, une dizaine d'homosexuels — dont un prêtre —, plus méchants les uns que les autres, riaient de ma déconvenue.

Je n'avais pas l'habitude d'analyser mes agissements, de leur chercher un sens profond, de me creuser les méninges pour débusquer le pourquoi de ce que je faisais ou de ce que je disais, mais en sortant du Her Majesty's, ce jour-là, en replongeant dans le froid de l'air, le froid de l'eau, la saleté de la rue Guy et la foule dépitée, je ne pus m'empêcher de me couvrir d'injures de toutes sortes et de me traiter de tous les noms — traître n'étant pas le plus sévère, peu s'en faut.

Il avait suffi qu'un joli Anglais s'intéresse à moi pour que je dépose immédiatement les armes, sans même lui demander s'il comprenait un seul mot de français! Parce que ç'avait été plus facile, plus simple, parce que je savais, en fait, je n'avais pas besoin de le lui demander, qu'on m'avait enseigné sa langue de force, mais que lui n'avait pas été obligé d'apprendre la mienne. Et que si je lui avais répondu en français, il se serait probablement désintéressé de moi!

Je me serais giflé tellement j'étais humilié. J'étais donc prêt à tout pour qu'on s'intéresse à moi?

J'espérais juste que Perrette Hallery et Maureen O'Hara n'assisteraient pas à la même représentation que moi!

Puis une idée se mit à me trotter dans la tête: il avait bien dit un billet au premier rang... mais pas dans le milieu... Était-ce une façon d'excuser le fait qu'il avait acheté deux billets à quatre-vingt-dix cennes, des billets d'étudiant, des billets de pauvre? Cela me le rendit encore plus sympathique et, pour la deuxième fois en une demi-heure, j'oubliai mes velléités nationalistes; mais, cette fois, ce fut pour me réfugier dans une rêverie érotique où Burt et Marlon étaient remplacés par une touffe de cheveux roux, une myriade de taches de rousseur et un début de bedaine.

*

Mon billet pour *Roméo et Juliette* n'eut aucun succès auprès de mes amis, même pas Pierre Morrissette qui se contenta de me dire en arquant un peu les sourcils pour bien montrer son mépris :

« T'as dépensé trois piasses et demie pour aller voir ça ! Y paraît que c'est plate pour mourir, c't'opéra-là ! Pourquoi tu penses que ça joue jamais ? Pourquoi t'as pas attendu la tournée du Metropolitan Opera ? Eux autres, y chantent ! Pis des affaires écoutables !

— Mais y viennent au Forum ! On entend rien, y paraît, parce que c'est trop grand pis trop écho !

— Ça fait rien, ça ! J'aime mieux mal entendre des bons chanteurs que bien entendre des mauvais ! »

Pure jalousie ? Peut-être bien, mais mon effet n'en était pas moins raté et je remis le bout de carton au fond de ma poche en me disant : « Ça va être bon, ça va être bon, pis j'vas tellement le faire chier quand j'vas y conter à quel point c'tait bon, qu'y s'en remettra jamais ! Parce que j'manquerai jamais une occasion d'y rappeler ! Pis... même si c'est plate comme y le dit, j'vas quand même prétendre que c'était extraordinaire, juste pour l'écœurer ! »

En lisant une autre interview de Pierrette Alarie, dans *La Presse*, cette fois, je me rendis compte quelques jours plus tard qu'on ne donnerait qu'une seule représentation de *Roméo et Juliette*, alors que j'avais d'abord cru que ce serait la première d'une série de quatre ou cinq. Il n'y avait donc pas assez d'amateurs d'opéra à Montréal pour remplir le Her Majesty's plus d'une fois ? Et si je me fiais à ceux que j'avais vus devant le guichet, me retrouverais-je le samedi suivant uniquement en compagnie de vieilles dames et de jolis messieurs ? Ça risquait d'être très intéressant...

Perrette et sa mère seraient donc là en même temps que moi. Je pourrais vérifier si Maureen existait vraiment ou si le rouquin l'avait prise comme alibi, comme j'avais de plus en plus tendance à le croire, pour cacher en même temps son manque d'argent et l'existence d'un gars dans sa vie.

Quant aux réactions de ma famille, elles étaient prévisibles et ne me surprirent en aucune façon : ma mère poussa un long soupir qui se voulait culpabilisant, mais que je laissai glisser sur moi comme si je ne l'avais pas entendu ; mon père, qui aurait évidemment préféré que je lui montre un billet de hockey, se contenta de me dire que le Her Majesty's s'appelait encore le His Majesty's quelques années plus tôt (je le savais très bien, j'avais déjà dix ans quand la princesse Elizabeth était devenue reine !) ; mon frère me répéta presque textuellement les propos de Pierre Morrissette, en ajoutant, cependant : « Qui c'est qui t'a donné de l'argent pour acheter ce billet-là, toi ? Du gaspillage, encore ! J'donne pas une pension toutes les semaines à moman pour te payer le théâtre, mais pour payer tes études ! »

Mais je refusais de me laisser déprimer par des propos moqueurs ou culpabiliser parce que j'avais dépensé trois dollars cinquante pour assister à un spectacle, et je restai seul avec mon billet pour *Roméo et Juliette* qui, après tout, avait été planifié dès le début comme couverture à ma première incartade dans les endroits mal famés de la Montréal nocturne que je voulais enfin connaître : l'opéra finirait tard, je serais déjà dans l'Ouest de la ville, et j'avais décidé que j'aurais ce samedi soir-là le courage de franchir les portes du mystérieux monde de la confrérie à laquelle je savais appartenir, mais qui me remplissait d'appréhension parce que je ne savais pas comment l'aborder.

*

La semaine fut longue, surtout que les cours à l'Institut des arts graphiques, du fait de mon impatience, me parurent encore plus médiocres, plus ternes qu'à l'habitude. J'entrais dans l'odeur d'imprimerie à huit heures trente du matin et n'en sortais qu'à quatre heures, hébété, souvent angoissé, ayant l'impression d'avoir perdu ma journée devant une presse litho dont je ne comprendrais jamais le fonctionnement ou feignant l'attention pendant les cours de formation générale — français, mathématiques, etc. — moins avancés que ceux que j'avais suivis à l'école secondaire l'année précédente : je n'apprenais rien sur le métier que j'avais décidé d'exercer et je me retrouvais rétrogradé dans les matières où j'aurais pu exceller.

Je ne m'étais pas encore fait d'amis à cette école où, de toute façon, je me sentais un élément extérieur, un corps étranger qui n'a pas sa place, et je passais mes heures de lunch seul, debout devant une fenêtre, à grignoter mon sandwich au jambon, au poulet ou, le vendredi, aux olives farcies en morceaux et au Cheez Whiz, délice des délices qui venait de faire son apparition dans ma vie et qui me fait encore saliver aujourd'hui quand j'y pense. Je ne sortais pas de l'école parce qu'il faisait trop froid — en fait, je n'ai pas mis une seule fois le pied dans la cour d'école pendant mes trois ans à l'institut, même quand le temps était clément ! —, je lisais des romans, je faisais mes devoirs, je bayais aux corneilles... Cette heure et demie de liberté me paraissait presque plus longue que les cours pourtant interminables qui l'encadraient.

Il n'est pas étonnant alors que les héros d'opéra et leurs invraisemblables aventures m'aient tant passionné pendant cette période particulièrement plate de mon existence. Je vivais à travers eux des imbroglios impossibles : j'avais mis plus d'un mois à démêler l'intrigue de *Il Trovatore* et je me demandais toujours pourquoi Renato dans *Un bal masqué* ne reconnaissait pas sa femme alors qu'il beuglait un duo d'un quart d'heure avec elle ; elle avait beau être voilée, cette grosse soprano devait quand même lui dire quelque chose ! Je devenais tour à tour princesse égyptienne, guidoune française, poète italien, roi babylonien, amoureuse irlandaise, barbier espagnol, enfant détestable, sorcière vlimeuse, patriote romain, prêtresse celte ; je vivais partout sauf à Montréal, à toutes les époques sauf à la mienne, dans toutes les couches de la société sauf dans celle où j'étais né (les imprimeurs sont une denrée plus que rare à l'opéra) ; je hurlais à m'en péter les cordes vocales mes amours malheureuses et je suppose que ça me consolait de mes amours inexistantes.

Quand ma mère me voyait arriver de l'école, vers cinq heures, elle ne me demandait pas comment avait été ma journée, elle se contentait de dire :

« Si tu mets encore ta musique trop forte, j'appelle la police, j'dis que j'te connais pas, que t'es t'un chambreur qui fait du bruit, que ça fait cinq cents fois que j'avertis, pis que j'sais pas comment te mettre à' porte ! »

Elle plaisantait à peine. Elle n'a jamais appelé la police mais elle a, un nombre incalculable de fois, menacé de le faire si je ne fermais pas la gueule à Salomé ou à Don Giovanni. Ou, pire que tout parce qu'elle détestait cette musique, à Brunhilde ou à Isolde. Quand résonnait encore une fois à travers la maison le *Ritorna vincitor* d'*Aïda*, ou l'*Habanera* de *Carmen*, elle entrait dans ma chambre sans frapper, levait le bras du tourne-disque et hurlait en se tenant le cœur à deux mains :

« Si j'entends ça encore une fois, j'vas exploser pis vous allez passer trois jours à ramasser mes débris à travers la maison ! »

Je mettais un autre disque, un opéra qu'elle ne connaissait pas ou une symphonie de Haydn parmi les moins tonitruantes, elle se calmait, retournait dans la salle à manger, et un petit quart d'heure plus tard Carmen se remettait à prétendre que l'amour est un oiseau rebelle que nul ne peut apprivoiser...

*

Le grand jour arriva enfin, comme on dit dans les contes de fées.

La pluie verglaçante avait persisté toute la semaine, les trottoirs luisaient comme des patinoires, les arbres s'étaient couverts d'un corset de glace très beau mais très dangereux — en fondant, elle explosait en pluie piquante qui n'était pas sans rappeler la grêle, des branches, cassées net, jonchaient les rues et même quelques troncs d'arbres —, les rues elles-mêmes, mélange d'eau froide et de glace, se retrouvaient presque impraticables, enfin bref, il fallait avoir vraiment envie d'entendre *Roméo et Juliette* pour sortir ce soir-là... Et j'en avais vraiment envie !

Mais j'avais un problème : quoi porter ? On ne s'habillait pas en wabo pour aller à l'opéra, j'en étais convaincu, et tout ce que je possédais transpirait désespérément le seconde main et la pauvreté. J'avais d'abord essayé ce que j'avais de plus « propre », un vieux complet de mon frère aîné que ma mère avait fait retailler par quelqu'un qui ne s'y connaissait visiblement pas et teindre en bleu nuit qui ne faisait pas illusion, les traces d'usure aux coudes et aux genoux étant plus apparentes que jamais. Porter un complet usé jusqu'à la corde quand on a dix-huit ans est une mortification difficilement supportable. Le pantalon était trop grand à la taille, la veste trop étroite aux épaules et, comble de malchance, une poche commençait à se découdre. Je n'allais tout de même pas me présenter devant le Tout-Montréal déguisé en cousin pauvre! Même si je n'étais que le cousin pauvre du cousin pauvre!

J'enfilai un jean — je voyais déjà ma mère se mettre en travers de la porte en criant qu'elle ne me laisserait pas sortir de la maison habillé comme la chienne à Jacques pour me rendre à l'opéra, même si j'étais un adulte consentant — puis je tombai sur le petit pantalon sexy noir que je portais habituellement dans mes pérégrinations nocturnes. Il était trop léger pour la saison, mais il me faisait bien, je me sentais beau dedans : avec un col roulé noir et mon chandail à encolure bateau vert forêt, je ferais artiste et j'aimais mieux faire artiste que péquenaud.

Pour sortir de la maison sans que ma mère voie mon déguisement, cependant, j'usai d'un subterfuge que je trouvais fort adroit, mais qui s'avéra un désastre. J'emportai mon gros manteau d'hiver dans ma chambre, soi-disant pour le brosser — il était en poil de chameau mort de peur — et passai devant maman en vitesse, attaché jusqu'au cou et l'air préoccupé de celui qui a beaucoup à faire.

« Es-tu habillé comme du monde, là?

— Ben oui...

— Montre-moi ça...

— J'ai pas le temps, j'vas être en retard.

— Tu seras pas en retard, y'ont même pas dû commencer à monter les décors tellement y'est de bonne heure!

— C'est long, se rendre jusque-là! J'ai deux autobus à prendre pis y fait un temps de chien!

— As-tu mis une chemise pis une cravate, au moins?

— Ben oui.

— Quelle cravate t'as mis?

— Celle que t'aimes, la plus laide!

— J'te crois pas! Montre-moi comment t'es habillé!

— Moman, j'ai dix-huit ans, j'ai le droit de m'habiller comme j'veux!

— Habille-toi comme tu veux, mais fais-moi pas accroire que t'as mis des affaires que t'as pas mis! J'te connais assez pour savoir que tu te promènes pas dans' maison avec ton manteau d'hiver su'l'dos sans raison!

— Okay! T'as gagné! Comme d'habitude!»

Je détachai mon manteau et paradai devant elle dans la salle à manger.

«T'es contente, là?»

Elle ne broncha pas mais je pouvais lire la consternation dans ses yeux. Elle prit une gorgée de thé et reporta son attention sur l'appareil de télévision où Nicole Germain donnait encore une fois des conseils pour rester jeune et belle. Maman disait toujours de ce genre d'émissions:

«Tout c'qu'y'ont à faire dans' vie, ces femmes-là, c'est se laisser crever de faim pour rentrer dans des robes de p'tites filles!»

Mais elle suivait quand même leur carrière avec un acharnement digne des fans les plus maniaques.

«Tu fais dur comme t'aimes, c'est assez réussi, mais y t'en manque un boute!»

Elle avait parlé sans me regarder pendant que je rattachais mon poil de chameau.

«Comment ça, y m'en manque un boute?

— Tu portes pas ta maudite breloque, d'habitude, quand tu t'amanches de même pour sortir?»

C'était vrai, j'avais oublié la touche finale, l'accessoire qui complétait mon costume d'artiste : mon os de veau.

Quelques mois plus tôt, ma mère avait acheté des os à moelle pour faire de la soupe. Plutôt que des os de bœuf, le boucher lui avait envoyé des os de veau ; elle avait un peu crié, mais avait quand même jeté le tout dans l'eau bouillante parce qu'il était trop tard pour retourner le paquet chez monsieur Longpré. Puis elle avait fini par se dire que nous n'y verrions que du feu puisque sa soupe, à son grand étonnement, sentait en fin de compte sensiblement la même chose, avait la même texture, était de la même couleur, pas plus ni moins grasse que d'habitude.

Au souper, cependant, elle s'était un peu excusée en nous la servant, au cas, pourtant improbable, où nous la prendrions en défaut :

« Vous allez manger quequ'chose d'original, à soir... J'ai fait une soupe au bœuf au veau ! »

Elle fut soulagée de voir que mon père riait de bon cœur — pour lui, une soupe ratée était une insulte personnelle qu'il prenait très mal, le repas était irrémédiablement gâché, et il faisait la baboune pour une bonne partie de la soirée —, mais elle le regarda quand même avaler sa première cuillerée avec appréhension.

« Si tu me l'avais pas dit, j'm'en s'rais pas rendu compte ! Est délicieuse ! »

Quand l'assiette fut déposée devant moi, ce fut le coup de foudre ; pas pour la soupe fumante qui goûtait effectivement la même chose que celle que nous mangions tous les jours, mais pour le joli petit os de veau, rond, blanc et plat, qui trônait au milieu des tomates et des petits coudes. Je grugeai les minuscules filaments de viande qui y étaient restés accrochés, puis le posai à côté de mon assiette pour le faire sécher. Ma mère le regarda en fronçant

48

les sourcils lorsqu'elle ramassa les assiettes, mais ne dit rien, probablement pour éviter d'attirer l'attention de mon père et l'ire de mon frère.

Le repas terminé, j'apportai le petit os dans la salle de bains, le grattai, le brossai pour le faire reluire et le remis à sécher sur le porte-savon.

Le lendemain, je passai un lacet de cuir dans le trou luisant de propreté et l'arborai fièrement l'après-midi même, lors d'une sortie collective, le cinéma ou autre chose, je ne me souviens plus très bien. Il faut dire qu'il faisait bel effet sur mon chandail vert bouteille, et mes amis, pâmés, jurèrent d'essayer de faire la même chose lors de leur prochaine soupe familiale... Leurs mères devaient être plus sévères que la mienne — ou alors leurs soupes étaient moins inspirantes que celle de ma mère — parce que je restai le seul à posséder un si beau pendentif. J'étais très content ; je n'avais pas du tout envie de faire partie de ce qu'on risquait d'appeler dans le quartier *la gang aux os de veau* !

« Merci, moman, je l'avais oublié ! »

Abandonnant Nicole Germain à ses conseils, maman ramena son regard sur moi.

« Tu pensais quand même pas que j'étais sérieuse ! Tu vas pas porter ça pour vrai ! Tu vas pas aller à l'opéra avec un os de veau accroché dans le cou !

— Pourquoi pas ?

— J't'avertis, j'te laisserai pas sortir de ma maison avec ça dans le cou ! Y vont te prendre pour un cannibale ! Pourquoi tu t'en mets pas un dans le nez, tant qu'à y être ! Pis pourquoi tu te mets pas une jupe en raphia ! Pis des sandales en corde !

— Moman, s'il vous plaît ! Chus tout habillé, chus prêt à partir, c'est pas le temps de commencer une discussion qui finira jamais, pis qui va me mettre en retard !

« — Tu seras pas en retard si tu pars d'ici sans ton os de veau jamais je croirai!

— J'partirai pas d'ici sans mon os de veau pis j's'rai pas en retard non plus! Mon os de veau fait partie de mon style d'habillement, un point c'est toute!

— Son style d'habillement! L'entendez-vous! Quand y vont te voir arriver avec ça, y diront pas que c'est un style d'habillement, y vont tu-suite sortir la camisole de force!

— Ben oui! Tout le monde sait qu'y tiennent des camisoles de force dans tou'es théâtres du monde!

— Si y sont toutes fréquentés par du monde comme toi, y devraient!

— Moman... J'pars, là, pis essaye pas de me retenir!»

La main sur le cœur — son ultime façon de nous prouver que nous le lui brisions quand elle ne savait plus quoi répondre — elle prit ce que j'appelais, depuis que j'avais vu Marguerite Jamois à la Comédie canadienne quelques années plus tôt, sa face d'Athalie nous racontant l'horreur d'une profonde nuit.

«Okay, fais à ta tête! Tu fais toujours à ta tête, de toute façon! Fais un fou de toi, quelqu'un qu'on connaît va te voir pis demain j'vas recevoir un téléphone pour me dire que mon propre enfant se promène au Her Majesty's avec des restants de mes repas accrochés dans le cou!»

Je quittai la maison sans répondre, sinon nous en aurions eu pour toute la soirée et l'opéra que nous aurions improvisé tous les deux n'aurait certainement pas pu être mis en musique par qui que ce soit!

*

Maureen O'Hara existait!

Ils sont arrivés quelques minutes après moi, mais j'ai failli les manquer, perdu que j'étais dans la contemplation de ce qui m'entourait.

J'étais dans le hall à regarder parader la faune des amateurs d'opéra, des femmes frisées jusqu'aux gencives et bijoutées jusqu'aux coudes ; des messieurs en habit de soirée, visiblement découragés, qui auraient tout donné pour être loin de là, au Forum tout près, par exemple, ou au fond d'un club privé, un journal à la main et un cigare qui se consumait dans un cendrier de cuivre — ça sentait la banque, la Bourse et les grosses affaires, pas du tout l'amour de la culture ; des jeunes filles à la remorque de leurs parents, poncées, étrillées, enrégimentées dans l'opéra par des mères qui avaient elles aussi été des fleurs de tapis, jadis, mais qui avaient appris à les fouler avec le temps ; et de jeunes gens comme moi, amoureux fous de l'opéra, conscients ou non de leur différence, qui scrutaient chaque nouveau visage, beau ou laid, qui se présentait aux doubles portes d'entrée, à la recherche d'un signe de reconnaissance, d'un regard un tant soit peu insistant, peut-être même d'un sourire.

Je tombais moi-même amoureux aux trente secondes, convaincu que tel ou tel spectateur — pas toujours jeune d'ailleurs, parce que les hommes seuls d'un certain âge étaient en assez grand nombre et avaient fort belle allure — regardait dans ma direction, plantait son regard dans le mien, hésitait à m'aborder. Malgré ou à cause de mon os de veau.

J'étais donc vraiment tombé dans la bonne talle !

Qui sait, je n'aurais peut-être même pas besoin d'aller au Tropical ou aux Quatre Coins du Monde après le spectacle pour perdre ce que j'étais venu perdre !

Quelques étudiants bruyants du conservatoire de musique et du conservatoire de théâtre étaient passés devant moi en riant, très soucieux de leur apparence et très conscients de leur impact. Impertinemment polyglottes, les musiciens, je suppose, se parlaient en plusieurs langues : j'avais entendu du français, de l'anglais, de l'italien, de l'allemand.

Ils étaient tous plus beaux les uns que les autres : les filles dans leurs vêtements colorés mais aux teintes que je n'avais jamais vues mes cousines ou mes amies porter, fuchsia, mauve, violet, rouille, kaki ; les gars coiffés de chapeaux melon ou de bérets basques, le foulard rejeté sur l'épaule à l'européenne, certains avec une pipe, d'autres cigarette au bec, rieurs, effrontés et tellement sexys ! Les jeunes acteurs avaient la réputation d'être de mon « allégeance », alors j'essayais de deviner qui en était ou non... Je choisissais les plus beaux, avais une intense aventure de dix secondes avec chacun...

Je les regardais s'engouffrer tous dans l'escalier qui menait au balcon, lorsque je reconnus Perrette Hallery de dos... accompagné d'une magnifique femme en manteau de poil de singe, rousse à mourir sous son chapeau à voilette, la peau laiteuse et la démarche assurée. Le cliché de la belle Irlandaise, Maureen O'Hara descendue de l'écran pour insuffler un peu de splendeur à l'ennuyeuse vie nocturne de Montréal, la Beauté visitant les Affreux.

Les autres femmes ne portaient pas leurs fourrures, elles les habitaient ; Maureen, elle, ne semblait même pas se rendre compte de la pesanteur de son manteau et trottinait allègrement sur ses bottes d'hiver à talons aiguilles, les premières que je voyais, impensables en ce climat appelant plus la vilaine botte que la jolie chaussure, mais pourtant bien réelles.

La fourrure de singe épousait chacun de ses mouvements et lui donnait un petit côté flapper qui attirait bien des regards admiratifs. Les hommes ne regrettaient plus d'être là, tout à coup ; les femmes, elles, haussaient les épaules de dépit, je les entendais presque penser leurs jugements sévères à son sujet : « Look at that, here comes the Irish Slut ! », mais on les entendait aussi fulminer de jalousie.

Maureen tenait le bras de son fils et je crus d'abord qu'elle était aveugle. Mais elle promenait autour d'elle ce regard curieux de myope qui ne voit pas vraiment ce qui l'entoure et qui se fie au flou des contours pour se guider. Mon rouquin n'avait pas menti au guichet, sa mère avait bel et bien un problème de vision ! Alors m'étais-je aussi mépris à son sujet, était-il irrémédiablement hétérosexuel ? Non, tout de même. Non ! J'en eus d'ailleurs tout de suite la preuve.

Il avait dû me repérer dans le hall parce qu'il se tourna vers moi pendant que le déchireur de billets s'acquittait de sa tâche. Était-ce un vrai sourire et devais-je y répondre ? Si oui, quelle sorte de message fallait-il télégraphier ? Devais-je jouer l'étonné, le content, l'indifférent, le pas-intéressé-du-tout même si je l'étais un peu ? Ou l'étais-je vraiment ? Et comment faire passer dans un sourire qu'on est *un peu* intéressé ? Le temps que j'analyse tout ça, Perrette et Maureen avaient disparu dans la salle bruissante du murmure des amateurs d'opéra locaux et je restais tout seul avec le même maudit visage impassible et le ticket à la main.

Première occasion ratée, je me serais giflé !

Il était huit heures vingt-cinq. Le spectacle allait bientôt commencer. Wilfrid Pelletier devait déjà attendre en coulisse le moment de se présenter devant son orchestre. Le hall du Her Majesty's ne contenait plus que des esseulés comme moi qui ne se décidaient pas à entrer au cas où...

Avec tout ça, j'avais fini par oublier pourquoi j'étais là. Ce qui m'attendait de l'autre côté des portes capitonnées était quand même plus important qu'une parade de pingouins et de visons, ou un sourire arraché de force à un visage aussi désespéré que le mien !

À nous deux, monsieur Gounod, et que me bouleversent les amants de Vérone !

*

Le *maestro* Wilfrid Pelletier dut être déçu de l'accueil qu'on lui réserva. De petits applaudissements polis, presques indifférents, saluèrent son entrée, il monta sur le podium dans l'apathie presque générale, fit quand même se lever ses musiciens, peut-être par bravade, se tourna vers le public qui ne regardait même plus dans sa direction ; sa belle tête intelligente s'inclina au moment où le silence revenait, et il se retrouva plié en deux devant une salle parfaitement muette d'où ne pointaient que quelques toux sèches de messieurs qui s'ennuyaient.

Était-ce ainsi que Montréal célébrait son plus célèbre chef d'orchestre ? Les gens devant qui il faisait la révérence savaient-ils seulement qui il était ? J'en doutais et je fulminais. J'aurais volontiers crié bravo, manifesté mon enthousiasme devant cet homme qui avait quand même dirigé des opéras jusqu'au Metropolitan Opera et épousé une grande diva, Rose Bampton, mais ma timidité me retenait et je me contentais de souffrir pour lui, de ressentir son humiliation, sa rage intérieure, devant cette salle d'ignorants.

Puis je pensai aux étudiants du conservatoire qui ne lui faisaient pas, eux non plus, un triomphe.

Vengeance d'élèves contre leur maître, protestation muette contre un professeur détesté ? Mais j'ignorais si monsieur Pelletier enseignait au conservatoire ou non... Wilfrid Pelletier était-il un chef d'orchestre peu respecté sans que je le sache ? J'avais toujours cru qu'il était l'idole des mélomanes montréalais, à cause de tout ce qu'il avait fait pour l'orchestre symphonique, pour la musique à la télévision ! Non, je préférais croire que le public qui se trouvait devant lui ce soir-là était ignare et grossier !

Je regardai autour de moi ; personne ne semblait se soucier de ce qui se passait dans la fosse. Les femmes replaçaient leurs clinquants bracelets, les hommes se cachaient les yeux en signe de concentration, mais ils ne faisaient pas illusion et on les entendait presque déjà rêver de poupounes qui sentent fort ou de colonnes de chiffres qui s'allongent...

J'avais un excellent fauteuil au parterre, au milieu du neuvième rang. Mon os de veau avait fait sensation quand j'avais retiré mon manteau avant de me glisser dans la rangée de vieux sièges inconfortables, brun et or, si je me souviens bien, et au velours usé jusqu'à la trame. Je n'avais pas d'argent pour fréquenter les vestiaires de théâtre, j'étais donc condamné à passer tout le temps du spectacle enterré sous mon gros manteau d'hiver plié en deux qui sécherait sur mes genoux en me laissant dans les articulations une désagréable impression d'humidité. Si jamais je faisais de l'arthrite à cinquante ans, ce serait sûrement à cause des générations de manteaux qui auraient séché sur mes genoux ! À moins que je ne devienne riche.

J'avais fait semblant de chercher mon rang, étirant le cou, fronçant les sourcils, pour qu'on voie bien ma breloque. Une dame avait dit à son mari pendant que je passais devant eux en me dirigeant vers mon fauteuil :

« Did you see that ? He's wearing a bone ! »

Son mari lui avait répondu en français, vive le bilinguisme :

« Y va s'en aller, y'a dû se tromper de place. Y vont l'envoyer au deuxième balcon pis on le reverra pus de la soirée, fais-toi-z'en pas !

— Well, I should hope so ! »

Au moment où *maestro* Pelletier se retournait pour que commence le spectacle, la dame se pencha sur son mari et lui dit dans un français sans aucun parfum anglophone (elle était donc franco-phone, elle aussi !) :

« Y'est encore là ! »

Le mari se pencha vers moi, ce qui était plutôt difficile à cause du physique impressionnant de sa femme, et me dévisagea comme si je venais de lui quêter un dollar.

« Si c'est sa place, y'aurait pu avoir la décence de s'habiller comme du monde ! On se présente pas dans le théâtre de la reine habillé comme un quêteux !

— He might be an artist !

— He's just a nobody !

— He might be an *important* artist !

— Nobody's that important at *that* age ! »

Sa femme se leva à demi :

« Change de place avec moi, d'abord, j'ai peur que ça soye un bitnik !

— On changera à l'intermission, on va déranger tout le monde, là ! Pis y te mordra pas, Jésus-Christ ! »

Elle se rassit en faisant exploser autour d'elle une énorme bulle de parfum bon marché. Ça ne sentait pas la violette, ça sentait LA VIOLETTE ! Je portai ostensiblement ma main à mon nez, mais elle ne sembla pas comprendre le message.

« En tout cas, si y sent, que ça dérange Pierrette Alarie ou non, on change de place ! »

J'avais eu mon effet, j'étais rose d'aise. J'espérais même avoir sérieusement gâché son plaisir à ce typique couple de parvenus qui se parlaient anglais en public pour se faire croire qu'ils avaient atteint un certain statut ou un certain pouvoir dans une société où le français était méprisé, mais qui revenaient automatiquement au français quand ils se sentaient en position de défense.

J'aurais presque aimé sentir le beatnik, quoi que cela pût vouloir dire !

Le projecteur qui faisait briller la tête blanche de monsieur Pelletier s'éteignit brusquement et, juste avant de lever le regard vers la scène qui allait d'une minute à l'autre faire revivre la Vérone du temps de la Renaissance (je ne savais encore pas que Gounod nous avait concocté un assommant prologue de six ou sept minutes avant que le rideau se lève sur la salle de bal des Capulet), pendant cette fraction de seconde où une salle de théâtre n'est pas tout à fait dans l'ombre et où l'on peut encore deviner qui l'habite, quels individus se sont réunis sans se connaître pour assister à la cérémonie la plus passionnante du monde, j'entraperçus une touffe de cheveux roux, rebelles et rébarbatifs, au tout premier rang, loin à gauche derrière le chef d'orchestre, une tache flamboyante, une trace de vie dans ce rang de têtes uniformément brunes ou blondes de Nord-Américains bien propres et tous coiffés par le même barbier.

Grande fut ma stupeur lorsque le rideau se leva sur une salle de bal des Capulet qui tenait plus du donjon de l'Inquisition de Torquemada que de la Renaissance des Borgia : trapu, peu éclairé, étroit, criblé de fausses tours et de vitraux de mica, il était habité par une foule parfaitement figée qui ne semblait pas du tout s'amuser malgré ce qu'elle nous chantait en tenant des gobelets de papier mâché : « L'heure s'envole, joyeuse et folle... » Folle, elle était loin de l'être, et toute joie en avait été bel et bien bannie ! Les choristes étaient là pour travailler, pas pour s'amuser ! Et tout ce beau monde — les femmes portant le hennin comme un bonnet d'âne, les hommes affublés de tartes aux fraises de velours posées sur des perruques dures comme de la céramique fraîchement sortie du four —, tout ce beau monde regardait Wilfrid Pelletier avec des yeux ronds et suivait sa baguette en branlant le menton.

Comme party, c'était pas le triomphe !

De plus, tout était bleu et vert, deux couleurs que je n'ai jamais pu souffrir l'une à côté de l'autre sur une scène : si un siège avait le malheur d'être vert, son coussin et ses parements étaient bleus ; si une draperie s'adonnait à être bleue, le cordon qui la retenait ainsi que son pompon luisaient d'un beau vert, ainsi de suite et systématiquement. Un manque d'imagination désespérant, presque angoissant, régnait sur cette scène où allait pourtant se dérouler l'une des plus belles histoires d'amour du monde, et je me disais, souffrant par anticipation (c'est l'un de mes défauts favoris) :

« Si la scène du balcon est en bleu et vert, j'me lève pis je sors ! »

Je fus encore plus catastrophé lorsque après quelques minutes, passé l'ennuyant premier air de Capulet père, je me rendis compte que ce décor était en tout point semblable à celui du premier acte du *Lac des cygnes* du Ballet royal de Winnipeg que j'avais vu dans cette même salle un an plus tôt ! Plus je l'examinais, plus j'en étais sûr : il était plus petit, comme un frère jumeau qui n'a pas atteint sa grandeur normale, mais c'était bien le même. Tellement, que je m'attendais d'une seconde à l'autre à voir entrer le prince Sigfried dans ses collants bourrés, accompagné d'Odette, ou d'Odile engoncée dans son costume d'oiseau déplumé... Puis je compris : c'était exactement le même décor, mais pour le ballet on se contentait de repousser les murs afin d'aménager plus d'espace pour les samarcettes des danseurs !

Le théâtre Her Majesty's possédait-il un entrepôt où on gardait un seul décor pour toutes les œuvres du répertoire — ballet, opéra, théâtre — dont l'action se situait entre l'an mil et le dix-neuvième siècle ? Et le public acceptait ça ?

Je regardai la dame, à côté de moi, qui avait peur que je sente le beatnik alors qu'elle-même dégageait l'odeur de milliers de fleurs assassinées. Ses yeux brillants, sa mine éclairée, disaient assez sa grande pâmoison et son incommensurable bonheur. Elle n'avait jamais rien vu de si beau dans toute sa vie. Visiblement, elle n'avait pas réussi à traîner son mari au *Lac des cygnes*, l'année précédente.

Le premier acte fut sauvé par le *Je veux vivre* de Juliette que Pierrette Alarie chanta à merveille avec sa voix cristalline de fillette de quarante ans passés. (Je pouvais toujours faire semblant de ne pas m'apercevoir qu'elle n'avait pas quatorze ans parce qu'elle était excellente et menue, mais le physique ingrat de son Roméo obèse et mauvais acteur comme un vivant cliché de ténor d'opéra me faisait grincer des dents et dresser le poil sur les bras.) Mais, à mon grand étonnement, cet air ne fut pas très applaudi et je commençai à me demander sérieusement si le public qui m'entourait était vivant. Je jetai un coup d'œil vers le balcon où les étudiants et les amateurs d'opéra auraient normalement dû manifester leur plaisir. N'en avaient-ils pas au moins quand Pierrette se faisait aller la glotte ? Je ne pouvais pas les voir et ils restaient muets dans l'ombre, comme un reproche ou, plus, une menace. En fait, ils avaient raison, mais je m'agrippais à mes dernières illusions parce que c'était mon premier spectacle d'opéra, que j'en avais rêvé toute la semaine et qu'il n'avait pas le droit d'être mauvais!

Le reste de l'acte fut lamentablement bâclé: le premier duo entre les héros avait l'érotisme de la rencontre de deux filets de sole crus; la passion naissante de Roméo brûlait comme une banquise en janvier, son madrigal fut exécuté comme Marie-Antoinette sur la place de Grève et le tout se termina sur Capulet père encourageant tout le monde à continuer la fête!

Bêtise, médiocrité et déception.

Mais au moment où le père de Juliette lançait son ridicule et pourtant si pertinent: «Autrefois, j'en fais serment, nous dansions plus vaillamment!», répété jusqu'à plus soif par un chœur plus léthargique que jamais — on pouvait quasiment entendre que les choristes avaient hâte de se désaltérer à l'entracte —, un des visages perruqués de l'entourage de Roméo attira mon attention, quelque part vers la dernière colonne de droite, entre l'escalier évidemment éclairé en bleu et une tenture verte quand même piquée d'or (elle avait échappé au bleu, la chanceuse!).

On lui avait fait grâce de la tarte aux fraises, mais on l'avait attifé d'une perruque blonde surmontée d'un caluron bleu royal qui juraient abominablement avec ses sourcils noirs et broussailleux. Il chantait avec les autres «Le plaisir n'a qu'un moment; terminons la nuit gaiement!», sans toutefois sembler savoir ce qu'il faisait sur cette scène, au milieu d'une foule figée, noyé dans un bal en bleu et vert où les invités s'ennuyaient tout en chantant le contraire dans des vers de mirliton à faire frémir. Les bras ballants, les épaules rondes, les collants ravalés aux genoux, les yeux rivés sur Wilfrid Pelletier comme sur sa dernière chance de survie, il paraissait tellement malheureux que j'eus tout de suite un coup au cœur. Une montée inexplicable d'adrénaline, partant du plexus solaire et irradiant partout dans mon corps, me bouleversa comme si une grande chose venait de se produire. Ou un grand malheur.

J'étirai un peu le cou en penchant mon corps vers la droite pour mieux le voir et ma voisine eut un haut-le-corps trop ostentatoire pour être vraiment sincère.

Mon faux blond perruqué suivait la foule dans un déplacement particulièrement gauche. Comment est-ce que j'avais pu ne pas le voir avant? Où était-il caché? Peu habitué à la scène, venait-il à peine de vaincre son trac; ses compères l'avaient-ils poussé sur les planches à son corps défendant en lui disant qu'il fallait qu'il aille gagner sa vie comme tout le monde, qu'un cachet d'opéra, ça se méritait?

Mais il était tellement beau, tellement touchant dans son malaise... Je ne savais plus si j'étais heureux de l'observer parce que je le trouvais émouvant dans son ridicule ou si je souffrais avec lui de chanter des choses idiotes dans une œuvre idiote, entouré d'idiots déguisés comme pour un carnaval de pauvres. J'aimais croire qu'il était conscient de la petitesse et de l'insignifiance de ce qui l'entourait sur ce plateau et que ce qu'il ressentait était la honte d'en faire partie.

Le Prince Charmant existait donc et il était habillé en petit page d'opérette dans une mauvaise production d'opéra!

J'eus très chaud pendant la dernière minute de l'acte. Je ne voulais plus que le rideau se ferme sur cet abominable spectacle de province, je voulais continuer à regarder ce pauvre enfant (il semblait à peine plus vieux que moi) évoluer dans le monde absurde de l'opéra ; je voulais avoir pitié de lui, monter sur la scène pour aller le consoler, le protéger, l'embrasser en lui disant :

« Viens-t'en, j'vas te tirer de là, on va être heureux, t'as déjà le costume pour me rendre heureux... mais enlève ta perruque ! »

(C'était moi qui avais le cheval blanc et qui enlevais le petit page désormais noir et frisé en chantant un air d'une très grande beauté, un morceau de bravoure unique que tous les barytons du monde s'arracheraient pour des siècles à venir... L'opéra que j'imaginais dépassait tout ce que j'avais jamais entendu en lyrisme mais aussi en audace : *Roméo et Roméo*, opéra parallèle, œuvre originale, en marge de tout ce qui s'était fait jusque-là... chef-d'œuvre incontestable, mélange de Puccini et de Puccini, qui finissait bien, qui faisait du bien, et qui durait toute la vie ! Tout ça en soixante secondes, faut le faire !)

Quand le rideau tomba sur un tableau vivant où tous les protagonistes, sauf mon petit prince qui avait oublié de le faire, se figeaient sur place, le bras levé, armés d'un verre de vin, crucifiés par un éclairage, eh oui !, bleu et vert, quelques faibles applaudissements s'élevèrent du parterre et la dame aux violettes s'exclama, assez fort pour me sortir de ma léthargie :

« Que c'est beau d'la belle opéra ! »

Son mari se réveilla en grognant.

« Ah !, pour être beau, c'est beau !

— Tais-toi donc ! T'écoutais pas pantoute ! Wilfrid Pelletier devait t'entendre ronfler !

— Y pouvait pas m'entendre ronfler, y chantait trop fort ! »

Les lumières de la salle restèrent éteintes, seules celles de la fosse d'orchestre brillaient doucement dans l'obscurité du Her Majesty's plongé dans cette stupeur muette que distille un spectacle complètement raté.

Les élèves des conservatoires et les autres amateurs d'opéra avaient donc été plus perspicaces que moi. Je voulais trop que ce soit bon, j'avais été aveuglé par mon propre souhait tandis qu'eux marquaient leur déception par un silence éloquent.

Il n'y aurait pas d'entracte entre le premier et le deuxième acte. Tant mieux, je verrais mon petit prince plus vite! On nous promettait le jardin de Juliette pour le tableau suivant; ce serait donc la fameuse scène du balcon. Qui sait, Roméo se ferait peut-être accompagner par mon noiraud perruqué, son grand ami, son confident qui assisterait à toute la scène pour le seul plaisir de mes yeux. J'aurais ainsi quelqu'un à regarder parce que Pierrette et Richard ne nous annonçaient pas un couple des plus pulpeux ni des plus sensuels!

Puis, tout d'un coup, je me rendis compte à quel point la musique que j'avais entendue pendant le premier acte était plate! J'avais été tellement occupé à haïr le spectacle que j'avais oublié de vraiment écouter ce que j'entendais. À part le *Je veux vivre* de Juliette déjà mentionné, rien n'avait retenu mon attention : la musique avait été d'une constante banalité, les chœurs autant que les airs ou les ensembles, et même parfois franchement mauvaise. Et je ne m'étais pas non plus identifié à qui que ce soit, aucun personnage n'avait attiré mon attention, comme cela se serait sûrement produit si j'avais écouté cet opéra chez moi. Était-ce vraiment à cause de l'œuvre qui ne m'intéressait pas, n'était-ce pas plutôt parce que je me retrouvais dans une salle de spectacle, au milieu du manque d'imagination de quelqu'un d'autre, un fou daltonien qui ne voyait que le bleu et le vert, alors que chez moi j'aurais imaginé une représentation à mon goût, avec mon propre sens

du théâtre et ma palette de couleurs personnelle?
J'avais quand même souvent vu des pièces après
les avoir lues et je les avais adorées. C'était donc
uniquement la faute de cette gang de pas bons si
je me sentais frustré du plaisir qu'auraient dû me
procurer les trois dollars cinquante que j'avais
déboursés.

Puis Wilfrid Pelletier toussa dans son poing
comme pour réveiller son état-major engourdi par
sa propre prestation hypnotisante de banalité, et
la scène nous révéla la nuit, on s'y serait attendu,
bleue et verte de Vérone.

J'aurais hurlé: c'était le même décor qu'au premier acte dont on s'était contenté de déplacer un
panneau pour découvrir une galerie prolongée
d'un large escalier que le gros Richard Cassily
n'aurait aucune difficulté à gravir! Pas d'échelle
pour ce Roméo porcin, ce serait trop dangereux,
pour lui et pour le sens du ridicule du public. Je
me sentais floué après m'être senti volé! J'aurais
voulu que le décor tourne, que la nuit se pique
d'étoiles, qu'une grande chose se produise sous
nos yeux pour nous préparer au duo d'amour,
alors qu'on se retrouvait dans le même environ-
nement avec un mur défoncé.

Et les deux mêmes maudites couleurs qui commençaient à me donner une vraie nausée, de celles
qui viennent lentement et qui durent très longtemps...

De mon Roméo à moi, aucune trace, bien sûr!

Richard Cassily, qui avait eu le culot d'enlever
son pourpoint pour s'imposer à nous en chemise
ouverte sur un généreux bedon surmonté de deux
seins ronds et lourds dépourvus de tout système
capillaire, même faible, même blond, marchait de
long en large pendant que le chœur — mon
chanteur était donc en coulisse — ânonnait que
«mystérieux et sombre, Roméo ne nous entend

pas!». Puis il se tourna vers nous comme s'il avait été en concert et nous hurla son «Ah! lève-toi, Soleil! fais pâlir les étoiles», d'une belle voix claire et puissante — il s'était visiblement réservé pour ce grand moment — mais démunie de toute émotion et, surtout, de toute tentative d'incarnation de personnage. Le ténor chantait, un point c'est tout, au diable Roméo, sa passion, sa jeunesse!

L'air terminé (j'avais entendu des centaines de fois mon frère aîné le beugler dans son bain sans savoir que c'était un extrait de l'épouvantable *Roméo et Juliette* de Gounod), le public se réveilla un peu et réserva au ténor américain la première ovation de la soirée.

Violettes Impériales, à ma droite, n'en pouvait plus de joie et criait «Encore! Encore!» pendant que son mari lui tirait sur les bracelets pour qu'elle se taise.

«Arrête! Arrête! Y chantera pus, là, y'a fini!

— Y faut qu'y le rechante! Y faut qu'y le rechante! Y peut pas nous faire ça! C'est trop beau!»

Et Richard Cassily eut le front de saluer! Ce simple geste, si peu respectueux des conventions théâtrales, preuve irréfutable de la mégalomanie d'un chanteur d'opéra qui considère qu'il transcende tout ce qu'il chante, qu'il a le droit de sortir de son personnage pour recevoir les hommages hystériques de son public adorateur, m'insulta tellement et me rendit tellement furieux que je me raidis dans mon fauteuil comme si j'allais faire une crise d'épilepsie.

Je voulais sortir de là, m'arracher à cette amère déception d'une soirée que j'avais rêvée grande comme une cérémonie religieuse et qui s'avérait enrageante, mais l'entrée de Juliette sur son balcon trop accessible et à peine éclairé me calma un peu. Je n'allais tout de même pas faire un esclandre en présence de Pierrette Alarie qui faisait ce qu'elle pouvait, la pauvre, pour sauver cette soirée. Chanter à Vienne, à Paris, à Salzbourg, et se retrouver là, plongée dans le vert, pour essayer d'incarner une Juliette un tant soit peu présentable, était un acte de bravoure que je me devais de respecter.

Comme ma mère l'aurait dit, je me suis «racovillé» dans mon fauteuil et j'ai attendu que l'acte passe.

Le premier duo d'amour me sembla sans fin malgré sa relative courte durée. Musique nocturne dépourvue de grandeur, poésie d'une rare pauvreté; Shakespeare devait maudire les Français dans sa tombe! Ça augurait plutôt mal pour le grand duo de la nuit de noces qui, s'il n'était pas plus réussi que celui-là, allait sûrement m'achever!

Je me surpris à fermer les yeux vers les trois quarts de la scène et tout devint moins terrible pendant quelques minutes. Mais pourquoi se rendre au théâtre si c'est pour fermer les yeux? Alors je les rouvris. Je retrouvai Roméo dans la même position où je l'avais laissé, une main sur le cœur, l'autre levée vers sa bien-aimée jouquée sur son faux balcon. Il avait le corps de profil à nous — la fesse inexistante, le ventre pendouillant — mais s'arrangeait pour bouger la tête quand il chantait, pas pour regarder le chef d'orchestre, mais pour qu'on l'entende, pour que sa voix porte bien jusqu'aux tréfonds du dernier balcon.

De mon perruqué aux sourcils noirs, cependant, pas de traces; il avait laissé son ami Roméo aux portes du jardin et avait dû aller se coucher, déprimé par un bal aussi raté et cette nuit de cauchemar irrémédiablement bleue et verte. (Je l'imaginais enlevant sa perruque, en coulisse; il sacrait comme un démon, la posait ensuite sur le dossier d'une chaise pour qu'elle sèche parce qu'il avait eu trop chaud en scène... Sous ses cheveux noirs et crépus, il avait maintenant des yeux d'un bleu à faire pâmer le cœur de toutes les midinettes de tous les sexes... Je n'étais pas loin avec mon cheval blanc et nous piaffions tous les deux de sublime impatience... Ça y est, j'étais reparti!)

L'acte se termina sur la séparation des deux amoureux (enfin!, que je me dégourdisse un peu les jambes), et les applaudissements anémiques d'une foule de zombies à qui on aurait montré à frapper mécaniquement une main contre l'autre pour faire semblant qu'ils étaient contents.

Zombie moi-même, je commençais à comprendre et à partager la froideur du public, j'avais hâte d'écouter les commentaires dans le hall... mais ce que j'entendis à l'entracte me jeta par terre et aiguisa encore plus ma fureur.

À les entendre, c'était un triomphe de tous les instants, la musique était divine, les décors somptueux, les costumes époustouflants, les chanteurs parfaits, enfin bref, c'était une grande soirée dont on se souviendrait longtemps. Tout ça dans les deux langues — l'une plus présente que l'autre, évidemment — et avec un enthousiasme qu'on n'avait pas du tout senti lors de la première partie de la représentation. Les femmes s'exprimaient plus que les hommes, bien sûr, qui, eux, se réfugiaient derrière de polis acquiescements, mains dans les poches et cigare aux lèvres.

Alors, une question me vint qui bouscula tout ce que j'avais pensé jusque-là : est-ce que le public d'opéra se déplaçait dans le seul et unique but de s'embêter? S'il ne s'était pas ennuyé à mourir depuis plus d'une heure, aurait-il été moins enthousiaste, moins heureux? J'étais en train de décider que tout ce beau monde *voulait* s'ennuyer, et si on m'avait dit que c'était un jugement de valeur injuste, que tout le monde ne pouvait pas avoir le même goût que moi, j'aurais répondu que je m'en foutais, que j'avais raison parce que ce que j'avais eu sous les yeux et ce que j'avais entendu depuis le début du spectacle était absurde dans sa médiocrité.

J'aperçus de loin les deux taches rousses de Perrette et de Maureen et je décidai de m'approcher d'eux pour essayer d'entendre ce qu'ils disaient du spectacle. Perrette me vit venir, rougit, croyant probablement que je voulais le draguer en présence de sa mère. Il cacha son embarras dans son verre de coke. Maureen avait enlevé ses lunettes, des fonds de bouteilles qui devaient lui donner de gigantesques yeux. Elle s'était donc remise à ne rien voir et promenait innocemment son splendide regard de myope, sûrement consciente de l'effet qu'elle faisait sur les hommes mais pas obligée de tolérer leurs reluquements appréciateurs du simple fait qu'elle ne les voyait pas.

Petit moment plutôt gênant : je suis à côté d'eux, je veux visiblement aborder Perrette mais, maudite timidité, je n'ose pas, et lui-même reste obstinément muet alors que sa mère se plaint qu'il fait trop chaud dans le hall et qu'ils devraient retourner à leurs places.

« Yes, mother ; you're right, let's go... »

(C'est vraiment un ben bel accent. Y viennent-tu de s'installer à Montréal ? Pis y viennent d'où exactement ? C'est ça que je devrais y demander...)

Mais le moment est déjà passé, ils se dirigent vers la porte du parterre.

Maureen passe devant moi, et Perrette, tout bas mais assez fort pour que je comprenne bien que c'est à moi qu'il s'adresse, glisse entre ses dents :

« Do you hate that show as much as I do ? »

Délivrance et soulagement! Je ne suis pas le seul!

J'ai juste le temps de chuchoter de rapides «yes, yes, yes», et ils disparaissent tous les deux, toujours sous les regards admiratifs des hommes qui lorgnent sans vergogne une Maureen O'Hara toute en mouvements gracieux et coups de têtes faussements ingénus. Une femme aussi belle ne peut pas ne pas être consciente des réactions qu'elle provoque, surtout parmi une foule comme celle-ci, où les hommes s'embêtent!

J'ai donc deux raisons de rester pour la deuxième partie — la dernière, j'espère — de ce spectacle désastreux: Perrette n'a pas attendu que je l'aborde et, pour la deuxième fois, a pris les devants, et mon attifé de la perruque fera peut-être quelque autre apparition pour le plus grand bonheur de mon cœur trop disponible.

Quelques heures plus tôt, ma vie était totalement vide et voilà que je courais après deux lièvres à la fois. J'en connaissais les dangers mais je me disais qu'il vaut mieux perdre deux lièvres que de traverser le champ sans en apercevoir un seul!

*

Violettes Impériales n'avait pas bougé de sa place pendant l'entracte, mais j'avais vu son mari disparaître vers les toilettes des hommes. Je m'excusai en passant devant elle et la vis froncer le nez. Ah! avoir le courage des dadaïstes et lui péter dans la face!

Pour bien montrer que toute conversation avec elle était absolument interdite, elle plongea le museau dans son programme qu'elle devait déjà connaître par cœur.

Je décidai de la faire chier un peu.

Je me penchai vers elle avec un sourire de connaisseur :

« Quel spectacle épouvantable, hein ? »

Je trouvais que j'avais tout de même un certain culot...

Elle se tourna vers moi, franchement scandalisée.

« Quoi ?

— J'dis que c'est un spectacle épouvantable... J'ai jamais rien vu de si laid de toute ma vie... Tous ces éclairages bleus et verts-là, moi, ça me donne mal au cœur... »

Elle commença par ouvrir de grands yeux, puis partit comme une balle de carabine :

« T'es pas gêné ! Espèce de... de... de... Comment tu peux dire une chose pareille ! C'est un chef-d'œuvre, tu sauras, pis un chef-d'œuvre, ça peut pas être épouvantable ! C'est-tu effrayant de dire une chose pareille ! Un si beau spectacle ! Une si belle représentation ! De si beaux artistes ! Tais-toi donc ! »

Quelques intonations de ma mère, des mots qu'elle aurait elle aussi utilisés, une façon aussi de s'insurger qui m'était tout à fait familière... Je fis un grand sourire qui eut l'air de la choquer encore plus.

« Va-t'en donc, si t'aimes pas ça, au lieu de critiquer ! Que c'est que ça te donne de rester ? Hein ? Tu perds ton temps ! Va-t'en donc !

— C'est pas désagréable d'haïr des choses comme celle-là, vous savez ! »

Les larmes lui montèrent aussitôt aux yeux, de grosses larmes qui, tout en me désarçonnant, me bouleversèrent par leur évidente sincérité. Elle sortit un mouchoir de son sac à main, l'utilisa bruyamment, puis se tamponna les paupières.

« P'tit prétentieux ! V'nir me gâcher mon fun comme ça, voir si ça a du bon sens ! Pourquoi tu me dis ça, là, tout d'un coup? Juste pour être méchant? Hein? Juste pour me gâcher mon plaisir?»

Elle avait bien raison, qu'est-ce que j'avais à la déranger dans son plaisir, comme ça? De quoi je me mêlais? Elle avait payé sa place, elle avait bien le droit d'aimer ce qu'elle avait sous les yeux! J'eus honte de ma méchanceté et me réfugiai à mon tour dans mon programme, en rougissant. Mais quelque part, très loin au fond de moi, mes dix-huit ans bouillonnants me suggéraient que j'avais raison de penser ce que je pensais même si j'avais eu tort de le dire à quelqu'un qui ne pouvait pas me comprendre, et je me disais que je réfléchirais à tout ça à tête reposée quand je reviendrais à la maison...

Son mari arrivait. Elle ne lui dit rien de mon impolitesse mais se contenta de lancer très fort, pour que le parterre au complet, du moins me sembla-t-il, l'entende:

«Ces maudits bitniks-là, ça se lave jamais, donc?»

Des têtes qui se tournent, des regards désap-probateurs, des haussements d'épaules. C'est elle qui gagnait et je l'avais bien mérité.

*

La deuxième partie du spectacle fut un supplice encore pire que la première (oui, la chose était possible): les scènes avec le frère Laurent, qui d'ailleurs s'éloignaient beaucoup du texte de Shakespeare, se révélèrent insupportables de len-teur, la mise en scène, plus qu'approximative, lais-sant les pauvres chanteurs en carafe au milieu du décor, embarrassés dans leurs perruques louées et le grotesque de leurs costumes. Le frère Laurent avait l'air de s'être procuré sa bure le matin même tant elle était raide et neuve et, en plus, elle le piquait dans la région du cou, ce qui donnait au pauvre moine le tic du monsieur nerveux qui a trop chaud et qui tire sans arrêt sur le col de sa chemise.

Le duo d'amour, le vrai, le grand, le long, fut, c'était prévisible, très bien chanté par les deux vedettes, mais tout aussi mal joué par un Roméo qui semblait ne pas s'être déshabillé de la nuit pour faire l'amour à sa femme par pure honte de son physique peu engageant et qui était incapable de lui prouver quelque affection que ce soit, trop préoccupé à projeter sa voix le plus loin et le plus haut possible. Quant à sa Juliette, visiblement exaspérée par le ridicule de son partenaire, elle se contentait d'exécuter ce qu'elle avait à faire sans trop s'impliquer.

Ils finirent par mourir après d'autres scènes encore plus lentes et plus plates les unes que les autres mais, chose étrange, les Capulet et les Montaigu n'eurent pas l'occasion de se réconcilier, l'œuvre se terminant sur un troisième duo entre les deux héros mourants, autre entorse impardonnable à Shakespeare.

La soirée étant totalement ratée, je me consolais en regardant évoluer mon choriste favori, facile à repérer maintenant que je connaissais son costume — il n'en avait qu'un, bien entendu — et sa moumoute de petit page.

Il avait vraiment un beau visage, un peu carré, la mâchoire proéminente mais tout de même pas prognathe, le nez important sans être gros, la bouche pleine et charnue, et la panique que je lisais dans ses yeux chaque fois qu'il avait une attaque à faire — les sourcils qui lèvent un peu, le front qui se plisse, le regard fixé sur le bâton du chef d'orchestre —, m'allait droit au cœur. Je trouvais la médiocrité de ce spectacle inacceptable, mais lui, j'étais prêt à tout lui pardonner...

Je décidai qu'il fallait que je fasse sa connaissance.

Mais ça posait un problème parce que j'avais aussi grandement envie de mieux connaître Perrette...

En effet, comment faire pour essayer de rencontrer à la fois Perrette *et* Perruque? Si j'attendais Perrette dans le hall après la représentation, je risquais de manquer Perruque à la sortie des artistes; si je courais à la sortie des artistes pour essayer de croiser Perruque comme par hasard, je raterais sûrement Perrette et Maureen que j'imaginais, pourquoi pas, se précipitant vers leur limousine personnelle pendant que je restais les deux pieds dans l'eau froide de la rue Guy.

Mais j'eus le temps d'élaborer le plan suivant (c'est dire combien j'étais concentré pendant la dernière heure de *Roméo et Juliette*!) avant que le rideau tombe sur l'une des soirées de théâtre les plus souffrantes de toute mon existence: je sortirais pendant les applaudissements en piétinant Violettes Impériales et son mari s'il le fallait (elle continuait à se pâmer, peut-être avec un peu trop d'ostentation désormais, sur ce qu'il y avait de plus vilain sur scène pendant que lui s'était rendormi du sommeil du juste), je me précipiterais dans le hall où j'attendrais mes deux Irlandais qui ne manqueraient pas de passer devant moi, je saurais d'un seul coup d'œil si je pouvais aborder Perrette ou, en tout cas, répondre à la question qu'il m'avait posée à la fin de l'entracte, je... je... je prendrais son numéro de téléphone s'il voulait me revoir (mais sa mère n'était pas sourde, elle était aveugle, elle se rendrait compte de tout! en tout cas, je m'arrangerais...), je courrais ensuite à l'entrée des artistes où Perruque ne pourrait que tomber foudroyé d'amour en me voyant lui sourire, moi, son premier admirateur, son premier

73

fan. Nous irions prendre un verre quelque part, il m'inviterait chez lui — je ne pouvais tout de même pas l'emmener chez moi pour le présenter à ma mère! — et, de fil en aiguille, la nature étant primaire et prévisible et nos besoins d'affection, les miens, en tout cas, étant ce qu'ils étaient...

C'était un plan particulièrement ridicule, je le savais, mais je me berçais d'illusions parce que j'avais absolument besoin de croire que deux avenues se présentaient à moi: je n'arrivais pas à choisir entre Perrette et Perruque, alors je louvoyais de l'un à l'autre en pensée, rêvant, comme toujours, à des choses impossibles plutôt que d'essayer d'imaginer un plan réalisable.

J'étais vierge et pourtant déjà polygame.

Le spectacle terminé, cependant, je n'eus pas le courage de contrarier une dernière fois l'enthousiasme de ma voisine de droite qui hurlait à pleins poumons des bravo-brava-bravi complètement hystériques, et j'attendis impatiemment la fin des quelques rideaux — peu nombreux, mais Pierrette Alarie et Richard Cassily furent ovationnés — avant de me glisser dans l'allée en étirant le cou pour voir où se trouvaient Perrette et Maureen. Il se trouva qu'ils étaient juste devant moi, nous fûmes donc tassés, presque collés les uns sur les autres dans l'allée, ce qui me facilita grandement les choses:

«Yes, I hated that show as much as you did!»

(Traître! Traître! Tu parles encore anglais *pour plaire à un gars*! À quoi t'es pas prêt pour qu'on s'occupe de toi!)

Il se tourna vers moi et me fit un sourire d'impuissance tellement désarmant, tellement désolé («Ma mère est là, j'peux pas te parler»), que je les laissai s'éloigner sous les remarques désobligeantes des spectateurs que j'empêchais de se diriger vers le hall, le vestiaire, la sortie, la liberté après trois longues heures de martyre.

Perrette Hallery disparut, sa belle tête rousse dépassant les autres, Maureen O'Hara accrochée à son bras.

Il ne se retourna pas pour me faire un geste d'adieu.

Peine d'amour de dix secondes.

Bon! Perruque, maintenant!

Et s'il était lui aussi anglophone?

Et hétérosexuel?

*

Une poussée dans le dos, deux ombres qui me doublent en courant.

«Dis-moi pas, Georges, qu'en plus y s'en va lui aussi à l'entrée des artistes! Y'est pas supposé avoir haï ça, c'te show-là, lui? Si y'ose demander une orthographe à Pierrette Alarie, c'est ben simple, j'appelle la police!»

IL EXISTE; MAIS EST-IL ACCESSIBLE?

Un groupe plutôt restreint de spectateurs attendait les artistes à la sortie. De toute façon, il fallait avoir beaucoup de courage et beaucoup d'abnégation pour aller se planter dans le fond d'une ruelle sombre avec l'espoir d'arracher un sourire ou une signature bâclée à des gens épuisés par une mauvaise représentation, et qu'on oblige à agir comme s'ils venaient de connaître un triomphe.

Un froid humide et mortel était tombé sur Montréal depuis que j'étais entré au Her Majesty's; le redoux était bel et bien terminé. La sloche avait gelé d'un seul coup, se transformant en une glace inégale, raboteuse, surtout dans l'ombre d'un théâtre où ne brillait qu'une petite lumière rouge, comme à la porte d'un bordel.

Tout le monde marchait précautionneusement, ce qui donnait un tableau cocasse et équivoque : ces personnes bien mises, emmitouflées jusqu'aux oreilles dans leurs fourrures hors de prix et leurs fines gabardines, qui avançaient à petits pas sur la glace en baissant la tête, avaient l'air de chercher des sous pour se payer un café chaud.

Je retrouvai Violettes Impériales, mais pas son mari qui devait déjà être parti réchauffer la voiture tout en l'empestant avec sa fumée de cigare. (Je ne l'avais pas vu fumer le cigare, j'avais décidé qu'il fumait le cigare.) Je laissai quelques personnes entre elle et moi, je n'avais pas envie de me faire apostropher devant tout le monde, surtout que notre conversation de tout à l'heure m'avait laissé un petit arrière-goût de culpabilité taraudante qui m'énervait.

Les amateurs d'opéra, surtout des hommes, évidemment, étiraient le cou vers la porte blindée tout en se frappant les pieds l'un contre l'autre. Ils étaient parfaitement silencieux. Un îlot de pingouins perdus au milieu d'une ville nord-américaine. On pouvait sentir l'anticipation, l'excitation à l'idée de parler à une star de l'Opéra de Vienne et de l'Opéra de Paris, la toucher peut-être, en tout cas exprimer l'admiration sans bornes qu'on avait pour elle. Je les enviais : ils étaient là pour Pierrette Alarie, pour Richard Cassily, pour Fernande Chiochio ; moi j'attendais quelqu'un dont je ne connaissais même pas le nom et que je n'étais pas certain de pouvoir reconnaître sans son déguisement de Véronais de la Renaissance revu et corrigé par un dessinateur de costumes sans génie.

Chaque fois que la porte de l'entrée des artistes s'ouvrait, un vent d'espoir soufflait sur la petite foule gelée. Des danseurs ou des chanteurs sortaient par groupe de cinq ou six, bruyants et joyeux, se frayaient un chemin à travers la piétaille qui ne protestait pas parce que c'étaient les vedettes qu'elle voulait voir, pas les figurants.

Quelques seconds rôles, le verbe haut et le rire faux, s'arrêtaient au haut des marches dans l'espoir d'applaudissements discrets ou de demandes d'autographes, mais ils comprenaient vite que ce n'était pas eux non plus qu'on attendait et disparaissaient en parlant et en riant encore plus fort. Bravade et frustration, mamelles des éternels seconds violons.

Qu'est-ce que j'allais faire, moi, quand Perruque sortirait du théâtre ? Je n'allais tout de même pas me jeter sur lui sous les yeux de Violettes Impériales pour lui demander de signer mon programme! Je l'effaroucherais, et toutes mes chances seraient perdues. (Mais tes chances de quoi, au juste? Maudit rêveur!) Alors sans réfléchir, pour parer les coups, pour ne pas avoir l'air trop fou quand mon petit prince de Vérone sortirait du théâtre, je me mis à demander des autographes à tout le monde. Les danseurs, les chanteurs, les musiciens, les figurants, tous y passaient. Ils s'y prêtaient de bonne grâce en se moquant un peu de moi, mais ça m'était égal, même si je devais vraiment avoir l'air d'une poule avec la tête coupée: le programme à bout de bras, j'avais déjà la tête ailleurs pendant qu'un artiste signait, pour ne pas rater Perruque au cas où il sortirait au milieu d'un groupe particulièrement compact de Capulet ou de Montaigu. Plus tard, attablés devant les restes d'un repas trop copieux pour l'heure tardive, ils parleraient probablement de moi en se demandant qui était ce jeune fou qui collectionnait les autographes de n'importe qui sans même vérifier ce qu'on inscrivait dans son programme. Un autre maniaque qui passerait sa vie à imaginer qu'il était quelqu'un parce qu'il possédait la griffe de quelques personnages connus...

Pierrette Alarie, rayonnante et gentille, provoqua toute une commotion à sa sortie du théâtre et faillit me faire manquer ma victime. La diva, après les applaudissements nourris qui l'avaient accueillie, resta sur la dernière marche de l'escalier, signa avec bonne grâce les programmes qu'on lui tendait, répondit patiemment aux questions («Non, mon mari n'était pas là ce soir. Il chantait le *Roméo et Juliette* de Berlioz, à Boston! Drôle de coïncidence, n'est-ce pas?»), puis, lorsque Violettes Impériales lui demanda si sa mère, maman Plouffe, se trouvait dans la salle, elle déclara qu'elle était fatiguée, que la soirée avait été épuisante, et disparut vers la rue Burnside où une voiture l'attendait.

La ruelle se vida rapidement.

Violettes Impériales quitta elle aussi les lieux sans avoir un seul regard pour moi, même de mépris. J'étais tout de même soulagé d'avoir évité sa colère et échappé à la dénonciation promise.

Encore sous le charme, comme tous les mélomanes présents à cette courte mais chaleureuse séance d'autographes qui ne se décidaient pas à partir malgré le froid meurtrier, je ne vis pas passer un grand jeune homme qui se dirigeait vers la rue à petits pas prudents.

Quelqu'un, une fille du chœur avec qui on l'avait couplé pour la scène des funérailles, ouvrit la porte et cria :

« François, tu viens pas au All American avec nous autres ? »

Il se tourna, tapota sa guitare.

« Non, j'peux pas, ce soir... »

C'était lui ! J'avais failli le manquer ! Et il parlait français !

« ...faut absolument que j'aille au El... »

Au El ?

La fille ramena son écharpe de laine sur ses épaules.

« À quelle heure tu passes ?

— Quequ'part après minuit... On le sait jamais, y nous le disent pas d'avance... Pis comme j'savais pas de toute façon à quelle heure finirait l'opéra...

— On va peut-être aller te voir...

— Okay, à tout à l'heure... »

(Y chante dans un endroit qui s'appelle le El ! Y faut que je me rende dans un endroit qui s'appelle le El! Mais c'est quoi, ça, le El! J'peux quand même pas y demander!)

Avant de se retourner vers la rue, il me dévisagea pendant une petite seconde, juste assez pour que l'ombre d'une reconnaissance passe entre nous (ouf!), et mon cœur coula dans mes talons.

Il portait un duffle-coat, une tuque de marin et une vieille guitare en bandoulière.

Il me gratifia même d'un sourire, magnifique, avant de baisser les yeux vers la glace du trottoir.

« Si t'attends madame Alarie, est déjà partie...

— Non, non, non, euhhh... (Niaiseux, dis quequ'chose, c'est ça que tu voulais, c'est pour ça que t'es venu te faire geler les pieds ici, grouille!)

— Si c'est Richard Cassilly, y'est parti par la porte d'en avant avec monsieur Pelletier...

— Ah, bon...

— Si tu veux les revoir, j'pense qu'y s'en allaient tous manger au Ritz...

— Non, non, non, c'est correct... J'ai eu l'autographe que je voulais...

— Madame Alarie?

— Oui...

— Est formidable, hein?

— Ah, oui...»

(Ajoute quequ'chose, allonge, développe, t'es capable!)

Mais rien ne sortit et il se tourna pour partir.

« Bon, ben, salut...

— C'est ça... salut. »

Il était presque plus beau que je l'avais imaginé. En tout cas, il avait l'air moins cruche que dans son costume de chum de Roméo. Et il m'avait parlé! Je le regardais s'éloigner en rageant intérieurement (Rattrape-le, niaiseux, parles-y, y demande peut-être pas mieux, poses-y au moins des questions sur le El, c'est quoi le El, c'est où le

83

El!), mais mes deux pieds restaient moulés dans la glace et ma langue paralysée dans ma bouche.

Il disparut lui aussi vers la rue Burnside. Aucune voiture ne l'attendait. Je pris mon courage à deux mains — je ne pouvais pas le laisser partir comme ça — et faillis me casser la gueule en courant derrière lui sur la glace vive.

Il s'allumait une cigarette en se dirigeant vers la rue Sherbrooke. Tout n'était pas perdu. Ne me sentant pas encore le courage de l'aborder pour de bon, je pris la décision de le suivre jusqu'au fameux El. S'il ne hélait pas le premier taxi qui passerait par là, évidemment. C'était téméraire, je risquais qu'il m'envoie chier s'il s'apercevait de mon manège, mais quelque chose me disait qu'il pouvait tout aussi bien en être flatté.

(En tout cas, j'ai pas l'air d'un tueur, y se mettra pas à crier au meurtre si y me voit le suivre...)

Je restai donc dans l'ombre du Her Majesty's, à geler dans mon manteau pas tout à fait assez chaud pour la saison, et j'attendis qu'il s'éloigne un peu avant de le prendre en chasse.

D'autres artistes me dépassaient en riant, on parlait du All American, des spaghetti, du pain à l'ail, du vin rouge, et je me rendis compte que j'avais une faim de loup.

Un gâteau m'attendait à la maison, ou un pouding au riz. Je me voyais assis bien au chaud devant la télévision, un grand verre de lait à la main, pleurant pour la centième fois sur la mort des héros de *L'Éternel Retour* (tiens, un autre *Roméo et Juliette*!) ou riant comme un débile à une quelconque simagrée de Fernandel que j'aimais tant... Non, quand même! Déjà que mes plans pour cette fin de soirée étaient chambardés, je n'allais pas tout gâcher pour un film français, un verre de lait et un morceau de gâteau au chocolat, aussi géniaux soient-ils! Ce serait trop facile. Et trop triste!

*

Grimper la côte de la rue Guy sur la glace vive est une aventure que je ne souhaite à personne. J'ai failli me péter la gueule trois fois, je suis tombé à deux reprises — la seconde fois, j'ai cru que je ne pourrais plus me relever tant la douleur était vive: je m'étais cogné le genou contre une arête de glace. Heureusement, je ne m'étais pas coupé. Dans le plus à pic de la côte, je me tenais aux murs des maisons pour éviter de perdre pied, de glisser jusqu'en bas pendant que Perruque en profiterait pour disparaître à tout jamais du décor si étroit de mon existence.

Si mes amis m'avaient vu poursuivant en pleine nuit un jeune homme dans une côte glacée avec l'espoir qu'il daigne m'adresser la parole, s'ils avaient pu lire dans mes pensées, voir les plans que je dressais, les rêves que je caressais, mon secret dessein — je me voyais déjà dans une piaule de la rue Ontario en train de déshabiller le premier corps de ma vie et je tremblais d'expectative —, auraient-ils simplement ri de moi ou bien m'auraient-ils banni à tout jamais en se cachant les yeux de honte?

Je me sentais tellement ridicule lorsque j'arrivai au haut de la rue Guy, essoufflé et boitillant, je trouvais la situation dans laquelle je m'étais plongé si absurde et si drôle que je rêvais de tout raconter en détail, le lendemain, à mes amis sidérés, quitte à les perdre ensuite pour toujours. Je savais que je ne pourrais pas garder tout ça pour moi très longtemps. Vivre une chose si comique et ne pas pouvoir la raconter, quelle horreur!

Si jamais j'arrivais à parler à Perruque, si quelque chose se produisait entre nous, je lui avouerais tout, après, pour en rire, pour m'en débarrasser, pour me soulager, sinon j'exploserais.

Il y avait bien l'écriture, mais écrire des choses qu'on n'ose pas montrer était devenu pour moi avec le temps la dénégation même de l'acte d'écrire. Le postcoïtus était trop difficile : après la petite mort et son soulagement bien temporaire, la grande, la définitive, celle du fond de tiroir, m'était devenue intolérable. Je n'en pouvais plus de tout garder pour moi. J'en avais déjà trop, de ces manuscrits que j'étais seul à connaître, le troisième tiroir de ma table de travail en était plein jusqu'à ras bord. J'étais frustré de ne pas pouvoir partager ceux que j'avais, je ne voulais pas en ajouter un autre, drôle en plus !

Mais mes amis étaient-ils prêts pour la vérité ? Une vérité, cependant, qu'ils avaient devinée depuis longtemps, bien sûr (j'avais toujours refusé de me montrer au bras d'une jeune fille parce que ç'aurait été lui mentir à elle, me mentir à moi, mentir aux autres ; alors, un gars de dix-huit ans à qui on n'a jamais connu de blonde, c'est quoi, pensez-vous ?), un secret de polichinelle dont ils se parlaient peut-être entre eux à mots couverts, trop pudiques, comme moi, pour l'affronter carrément. Mon soulagement serait probablement aussi le leur. En fin de compte, c'était peut-être moi qui n'étais pas prêt.

En attendant, j'avais d'autres chats à fouetter : Perruque attendait en fumant à l'arrêt d'autobus, coin Sherbrooke et Guy, et je voyais le 24 s'approcher en dérapant sur la glace. La grosse machine traversait déjà prudemment la rue Saint-Mathieu et serait à l'arrêt dans la minute qui venait. Je n'osais pas courir, mais je ne voulais pas non plus rater l'autobus.

Il me vit traverser Guy, eut un sourire que j'interprétai comme narquois (une petite seconde de conscience : « Qu'est-ce que je fais là ? Chus t'en train de faire un fou de moi ! »), et éteignit sa cigarette sur son talon.

« Tu t'en vas dans l'Est ? »

— Oui, oui... »

L'autobus arrivait... J'avais de la difficulté à parler tellement j'étais essoufflé. Lui continuait à sourire.

« C'est quequ'chose, monter la côte Sherbrooke avec toute c'te glace-là, hein ?

— Ah ! oui... (Continue, continue... parle ! Une niaiserie, n'importe quoi, mais parle !) C'est quequ'chose... »

(C'est tout ? T'as rien trouvé de mieux que de répéter ce qu'y venait de dire ? T'es pas juste niaiseux, t'es t'épais rare !)

Il me laissa monter le premier et j'eus soudain conscience des taches de glace ou de neige sur mon manteau et sur mon pantalon qui ne devait plus du tout être sexy. Il saurait que j'étais tombé en courant derrière lui !

L'autobus était à peu près vide. J'allai me réfugier au fond, sur le banc des vieilles filles, pour bien faire comprendre à Perruque — j'en avais vraiment assez de ce nom-là, il s'appelait François, il fallait désormais que je l'appelle François ! — qu'il pouvait s'installer où il voulait, qu'il n'était pas obligé de me parler ni même de s'asseoir avec moi... Maudite timidité ! Si seulement j'avais été capable de foncer, de lui faire ouvertement comprendre qu'il m'intéressait ! Il parcourut l'autobus dans toute sa longueur, posa sa guitare à côté de moi, s'écrasa sur la banquette en déboutonnant son manteau.

« Jusqu'où tu t'en vas, comme ça ?

— Jusqu'à Papineau...

— Ah! bon... moi, j'descends à Saint-Laurent. »

Il chantait sur la Main? Il chantait dans un trou?

Nous passions devant le Musée des beaux-arts où je n'avais mis les pieds qu'une seule fois tant j'avais trouvé l'entreprise au grand complet snob et élitiste. J'aimais mieux me passer de peinture que de me faire juger par des madames qui trouvaient que j'avais l'air trop pauvre et pas assez artiste pour parcourir les augustes corridors de leur distinguée institution. C'était de la paranoïa, je le savais et je n'y pouvais rien, mais j'étais convaincu que ces dames patronnesses du Musée des beaux-arts étaient bel et bien capables de faire la distinction entre un vrai pauvre et un pauvre artiste.

Je crus deviner que mon compagnon de banquette cherchait un sujet de conversation. Mon cœur se tordit comme une serviette mouillée qu'on essore mais je restai, bien sûr, muet et immobile.

Il se décida le premier mais d'un air détaché, comme s'il ne voulait vraiment que tuer le temps.

« Vas-tu souvent au Musée des beaux-arts, toi?

— Ah! oui, pas mal... (menteur! menteur!)

— Comment tu trouves ça?

(Alerte rouge! Alerte rouge! Question piège! Prouve au moins que t'es intelligent!)

— Ah... ça fait un bout de temps que chus pas allé, mais la dernière fois c'tait ben intéressant...

(T'as rien prouvé pantoute! Ça veut dire quoi, *intéressant?*)

— Moi, j'mets jamais les pieds là-dedans. La peinture bourgeoise m'intéresse pas. »

(Mon dieu! Un intellectuel! Y fallait que je tombe sur un intellectuel! Comment j'vas faire pour parler avec un intellectuel! J'aurais dû m'en douter; quelqu'un qui chante dans un endroit qui s'appelle le El!)

Petit silence, puis:

«Comment t'as trouvé ça, le spectacle?»

(Là, par exemple, j'sais quoi répondre! J'ai même pas besoin de réfléchir!)

«Assez terrible. Épouvantable, en fait. Pierrette Alarie était ben bonne, mais le reste faisait pas mal dur. Les décors, les costumes, ça faisait pas mal pauvre... Faut dire que l'opéra lui-même est plate pour mourir au départ... J'espère que ça te choque pas que j'te dise ça... T'étais dedans...»

Un grand éclat de rire, très sincère et très beau, quelque chose d'une détente après un malentendu ou une frustration.

«T'as ben raison! Mais comment ça se fait que tu sais que j'étais dedans, j'aurais pû être dans l'orchestre, ou travailler en coulisse... Pis y me semble que j'ai vraiment tout fait pour qu'on me voie pas!»

(Y va à la pêche, profites-en!)

«Tu portais une perruque jaune pisse ridicule, pis un caluron bleu...»

Comme si c'était là exactement ce qu'il voulait entendre, il se contenta de sourire et reporta son regard vers la rue.

(Le tabarnac! Y voulait juste être sûr que je l'avais remarqué! C'tait trop beau, aussi! Pourquoi un beau gars comme lui s'intéresserait à moi?)

Je ne savais pas si j'étais blême ou rouge, mais je savais que j'avais changé brusquement de couleur.

Nous arrivions à destination. La sienne.

Il me tendit la main.

«J'm'appelle François Villeneuve...»

J'étais incapable de prononcer mon nom; je me contentai de lui tendre la main à mon tour.

«Si jamais tu veux m'entendre... J'chante mes propres compositions au El toutes les fins de semaines... Tu sais où c'est, au moins, le El?

— Non.

— C'est sur Clark, juste en bas de Sherbrooke... »

Il disparut avant que je réalise que ç'avait peut-être été là une invitation...

(Décide-toi, chose! Tu veux de moi ou ben tu veux pas de moi?)

Aussitôt l'autobus reparti, je bondis sur mes pieds (Réfléchis pas, sinon tu le feras pas!), me précipitai vers la porte mécanique, m'accrochai à la sonnette comme un désespéré.

On verrait bien!

(Encore une fois! Pauvre idiot, dans quoi tu t'embarques?)

En descendant à l'arrêt suivant, devant le collège Mont Saint-Louis, j'avais mal au genou gauche et je boitais un peu plus.

*

Je ne trouvai pas tout de suite le El, c'est-à-dire que je le vis avant de comprendre que c'était là ma destination. Il y avait deux cafés sur le côté ouest de la rue Clark entre Sherbrooke et Ontario : La Paloma et le El Cortijo, et ce n'est qu'après avoir dépassé ce dernier à trois reprises — j'avais donc redescendu et remonté trois fois la même maudite côte avec mon mal de genou et ma légère claudication — que je compris que c'était là que chantait François, que les habitués devaient l'appeler familièrement le El parce que c'était plus court et, surtout, plus facile que de se gratter la gorge à l'espagnole quand on arrivait sur le j : El Cortidjo ? El Cortillo ? El Cortihhhho ? Était-ce là un des fameux antres de la bohème espagnolante dont parlaient tant les journaux depuis quelque temps ; allais-je enfin rencontrer une vraie Mimi, un vrai Rodolfo, un vrai Marcello ? Et chanteraient-ils ? (Tais-toi donc, niaiseux!)

Deux marches de ciment descendaient vers une porte de bois ornée d'une vitre dépolie à travers laquelle filtrait un éclairage orangé. Mais aucun son ne me parvenait, aucun bruit de musique trop forte, aucun bourdonnement de conversation animée. Ce devait être un endroit bien tranquille...

Sitôt la porte poussée, un relent de fond de cendrier, de sueur et de café trop fort me fit presque reculer. Une fumée à faire venir les pompiers flottait au-dessus d'une vingtaine de tables de bois où les Juliette Gréco se comptaient à la douzaine et les Jean-Paul Sartre trop verts, accoutrés de bérets trop grands, devisaient au-dessus d'une tasse de café vide pour un auditoire plus que restreint qui, de toute évidence, ne les écoutait pas.

De vrais beatniks! Ceux que j'avais vus jusquelà étaient interprétés par Robert Gadouas ou Ginette Letondal, ils ornaient nos téléromans d'une présence un peu inquiétante, étaient immanquablement affublés de graves tares psychologiques et montraient des problèmes de comportement inexplicables, affichaient leur mépris de tout ce qui était canadien-français à l'aide d'un accent français plus vrai que le vrai et finissaient toujours par rendre un de nos héros favoris malheureux et suicidaire. C'étaient des méchants et on nous apprenait à les haïr ou, du moins, à les mépriser. Ceux que j'avais sous les yeux, cependant, étaient loin de posséder le charme d'un Robert Gadouas ou d'une Ginette Letondal et ils avaient besoin de se lever de bonne heure — ce qui ne devait pas leur arriver souvent — s'ils voulaient faire souffrir qui que ce soit.

Rapide coup d'œil. François Villeneuve ne s'y trouvait pas. Déjà en coulisse à préparer son tour de chant? J'allais rouvrir la porte, braver à nouveau la glace de la côte Sherbrooke, tant je me sentais tout à coup fatigué, vidé, lorsque l'idée me vint, naïf que j'étais, que c'était là la place idéale où afficher mon os de veau! Eux, les Juliette, les Jean-Paul, me comprendraient! J'aurais sûrement l'air d'appartenir au groupe avec mon pantalon serré, mon col roulé noir et mon si beau pendentif fait main. Qui sait, je passerais peut-être même pour un artisan! Ils n'avaient pas besoin de savoir que j'allais devenir un imprimeur, je pourrais leur faire croire que j'étais un sculpteur sur os...

À condition, bien sûr, que quelqu'un m'adresse la parole.

Dernière vision, heureusement fugitive, du verre de lait, du gâteau au chocolat, de la télévision, puis je décidai de rester. Candide avait fait le tour du monde, je pouvais bien faire le tour de la ville!

Une petite table pour deux se trouvait justement libérée au fond de la salle. Je me glissai entre les Juliette et les Jean-Paul, croisai quelques turbans de Simone juvéniles qui ressemblaient plus à des diseuses de bonne aventure qu'à l'auteur des *Mémoires d'une jeune fille rangée*, avant d'atteindre mon refuge de néophyte qui aimerait bien se faire accepter mais qui n'ose pas encore s'imposer... Quelqu'un remarquerait peut-être mon bijou, me demanderait si c'était un porte-bonheur, si je l'avais fait moi-même... J'enlevai mon manteau et m'assis de trois quarts sur ma chaise pour qu'on voie bien que j'étais pas n'importe qui. Si l'habit ne fait pas le moine, il aide quand même les autres à se rappeler à qui ils ont affaire!

Ma table se trouvait sous un tableau non figuratif où dominaient les magentas, les jaunes, les fuchsias et les rouges. Ça faisait busy mais c'était très beau. Chez moi, je n'aurais jamais osé dire que j'aimais ça de peur de crouler sous les moqueries de tout un chacun — mon père et mon frère auraient agoni d'injures ce peintre paresseux qui se contentait de garrocher des barbeaux de peinture à l'huile sur des carrés de toile au lieu d'aller gagner sa vie comme tout le monde ; ma mère, elle, se serait esclaffée en disant qu'on avait laissé un enfant jouer trop longtemps sans surveillance dans la peinture — mais ici, dans ce décor exagérément odorant où je devinais déjà une liberté d'esprit à laquelle je n'étais pas habitué, je pouvais me permettre d'aller jusqu'à me laisser brasser par cette confrontation de couleurs vives qui restaient imprimées sur la rétine quand on ne regardait plus le tableau. En m'approchant plus près — je m'étais levé à demi de ma place pour coller mon nez sur l'œuvre —, je me rendis compte que le tableau était éclairé par derrière, qu'il était peint sur quelque chose qui ressemblait à du plastique froissé et je pensai à nouveau à ma mère qui aurait sûrement dit qu'en fin de compte c'était juste une lampe un peu trop fancy. Je n'étais pas encore assez connaisseur en peinture pour vérifier le nom du peintre et je repris la pose en jouant avec mon os de veau comme le font certaines femmes avec leur rang de perles.

Une Juliette Gréco anorexique et blonde était déjà debout à côté de ma table. Ses cheveux étaient tellement longs et raides qu'ils devaient tremper dans chaque tasse de café qu'elle servait.

« Qu'est-ce que j'peux te servir ? Un bon café ? »

Moment de panique. Je n'avais jamais bu de café plus tard que six heures le soir et même là c'était toujours pour rendre service à ma mère qui voulait vider la cafetière du matin. Chez nous, le café, c'était fait pour le matin.

« Notre expresso est ben bon... »

Elle dut lire la panique dans mes yeux au seul mot.

« C'est la première fois que tu viens ici, toi, hein ? »

Est-ce que je discernais un ton de dédain ? Je n'allais tout de même pas m'en laisser imposer par une Juliette Gréco locale dont le bout des cheveux devait goûter le café !

« Oui, ça paraît ? »

En le disant je réalisai que c'était la mauvaise question à poser, mais elle eut pitié de moi.

« Décide-toi, là, le spectacle va commencer pis François déteste ça quand on se sert de la machine à café pendant qu'y chante...

— Ah... François Villeneuve chante, ce soir ?

— Pourquoi tu penses que c'est plein de même ? Y'a rien que lui pis Tex qui pognent comme ça. »

Il fallait que je tombe sur l'idole des beatniks de Montréal !

« J'vas prendre un expresso...

— Un double ? »

(A' veut me tuer !)

« Ben... oui, pourquoi pas...

— Tu vas voir, y'est bon, y'est fort ! »

Elle eut un petit sourire sarcastique en montrant mon os de veau.

« T'étais pas obligé d'apporter ton restant de repas avec toi ! Surtout que la plupart de nos clients sont végétariens ! »

Végétariens ? Ça voulait dire quoi, ça, végétariens ? Enfin, je devinais ce que ça pouvait signifier mais je n'avais jamais entendu parler de gens qui ne mangeaient que des légumes ! Comment faisaient-ils ? Où prenaient-ils leurs protéines ? On nous avait toujours enseigné à l'école qu'il fallait manger du bacon chaque matin et de la viande rouge tous les jours... Mais ils devaient tous être malades ! J'en examinai deux ou trois plus attentivement. Ah non, ah non, c'tait pas du monde en santé, ça... le teint, le grain de la peau, la voussure du dos...

Mon os de veau était donc *persona non grata* ici aussi. Est-ce qu'il fallait que je l'enlève pour qu'on se rende compte que j'existais? Sinon, est-ce qu'on m'agresserait comme l'avait fait Violettes Impériales au Her Majesty's? Les beatniks et les parvenus de Montréal étaient-ils liés par leur haine mutuelle de l'os de veau? C'était donc vrai, après tout, que la gauche et la droite finissaient toujours par se rejoindre! (J'avais commencé à feuilleter des périodiques français à la bibliothèque municipale et certaines théories que j'y rencontrais me troublaient fort.)

Mon café arriva rapidement.

La Juliette Gréco blonde déposa la petite tasse devant moi et un relent d'aisselle humide (ou de dessous de bras de chandail mal lavé) me cloua sur place. Il me fallut toute mon emprise sur moi-même pour ne pas reculer en faisant la grimace.

«C'est trente-cinq cennes.»

(Trente-cinq cents pour un café! Dans une tasse grande comme un dé à coudre! Celui que je bois, des fois, chez Woolworth's, sur la rue Mont-Royal, me coûte un gros dix cents!)

«J'aimerais ça que tu me payes tu-suite, l'os, sinon ça va aller jusqu'après le spectacle pis j'pourrais oublier... Ou toi, tu pourrais oublier...

— La confiance règne!

— J'fais confiance à mes clients réguliers, mais toi j't'ai jamais vu...

— J'ai-tu l'air d'un voleur?

— Les voleurs ont rarement l'air des voleurs!

— Quant à voler, y me semble que j'volerais autre chose qu'un double expresso dans une p'tite tasse!

—Y'a pas de p'tits vols pour les voleurs!

— Non, mais y'a des serveuses chiantes en Christ, par exemple!»

Elle me regarda avec un grand sourire.

«Deviens serveur dans un endroit comme ici, mon p'tit gars, pis ça sera pas long que tu vas devenir chiant, toi aussi! J'te vise pas personnellement, là, mais j'aimerais ça avoir mes trente-cinq cennes... plus un pourboire, si possible... mais t'es pas obligé.

— J'sais vivre...

— Tu s'rais ben le seul dans' place...»

Il me restait deux dollars. Il fallait absolument que le spectacle — il était déjà minuit passé — se termine avant le dernier autobus, sinon je devrais marcher jusque chez moi avec ma douleur au genou et ma patte folle. Puis je me rappelai que le dernier autobus partait d'Atwater à minuit vingt... Si je ne rencontrais pas le Prince Charmant ici-même — mais les odeurs me décourageaient déjà —, s'il ne possédait pas en plus une magnifique monture blanche pour me transporter dans son palais de marbre et de verre dans le but de me faire subir les derniers outrages, j'en serais quitte pour une longue marche dans la glace et une longue semaine dans mon lit à trembler comme une feuille sous les assauts répétés d'une fièvre au moins mortelle.

Je payai en faisant semblant que je ne comptais pas mon argent (J'espère que quinze cennes de pourboire, c'est assez!), puis Juliette-des-aisselles s'éloigna en zigzaguant à travers les tables.

Je trempai mes lèvres dans le liquide chaud, noir, épais. Un jus de pipe réchauffé me brûla la langue, avant de me trancher la gorge et de me démolir l'œsophage. Mes yeux se remplirent d'eau — j'étais convaincu que c'était le café qui remontait déjà — et je dus faire semblant de tousser dans mon poing pour ne pas passer pour l'inculte que j'étais auprès des quatre personnages à la table voisine de la mienne qui semblaient se demander, mais c'était peut-être encore ma paranoïa, pourquoi je m'étouffais comme ça. Je repris difficilement ma respiration, repoussai définitivement la tasse, en regrettant mes trente-cinq cents plus pourboire.

Les lumières s'éteignirent — en fait, c'était ma blonde Juliette qui avait simplement fermé le commutateur à côté de la caisse — et quelques faibles applaudissements montèrent dans le El Cortijo trop enfumé. Je ressentais une certaine impression de déjà-vu et j'avais peur de voir surgir Wilfrid Pelletier dans son tuxedo tout propre qui, lui, ne devait rien sentir du tout.

Les têtes se tournèrent vers ce qui tenait lieu de scène — une chaise posée dans un des coins de la petite salle — et quelqu'un entra qui n'était pas François Villeneuve.

Il fut accueilli plutôt chaleureusement et je compris que ce devait être là l'autre vedette de l'endroit, le dénommé Tex. C'était un grand blond frisé tout en moustache et en barbe, sexy à sa manière, avec la tête la plus sympathique qu'il m'avait été donné de voir depuis mon arrivée : son sourire était large et sincère, ses yeux pétillaient de malice et il semblait très heureux d'être là. J'étais convaincu, à cause de sa mine réjouie, de ses pommettes rouges, que cet homme n'était pas végétarien.

« Salut, gang de nonos... »

(C'est un style plutôt différent de celui de Wilfrid Pelletier...)

« ...j'sais que vous êtes venus entendre François qui faisait ses débuts ce soir à l'opéra aux côtés de sa consœur Pierrette Alarie (applaudissements, quelques cris, quelques huées)... mais avant d'y céder la place, j'aimerais vous interpréter quelques petites choses de mon cru. J'sais que vous les connaissez par cœur parce que j'vois pas tellement de nouveaux visages dans la salle ce soir...»

Des têtes se tournèrent dans ma direction; je plongeai le nez dans mon café auquel je m'étais pourtant juré de ne plus toucher...

«...mais tant pis pour vous autres, si vous voulez entendre quelqu'un d'autre, allez ailleurs, gang de pas bons...»

Mon père haïssait les gratteux de guitare — toute apparition de Félix Leclerc à la télévision lui donnait automatiquement de l'urticaire, du moins à ce qu'il prétendait — mais moi j'avais appris à adorer leurs chansons à travers les émissions de variétés de Radio-Canada où ils pullulaient depuis quelques années, et les disques Sélect qui tentaient de diffuser leur talent à travers tout le Québec. Pendant des mois j'avais beuglé *Combien coûte l'amour* de Jean-Pierre Ferland, *Au bassin Louise* d'Hervé Brousseau et *L'Œil en feuille, au milieu de l'eau* de Jean-Paul Filion — cette dernière trouvée sur le premier disque de Renée Claude —, au grand dam de ma mère qui prétendait que j'allais lui faire détester des chansons qu'elle trouvait pourtant magnifiques, tant je chantais fort et faux.

Après avoir posé son pied sur une chaise — tiens, tiens, tiens, Félix faisait des petits —, Tex entonna une assez amusante ritournelle. Les spectateurs réagissaient de deux façons différentes: soit ils chantaient avec lui, et même plus fort parce qu'ils connaissaient déjà la chanson par cœur, soit ils se désintéressaient complètement de ce qui se passait sur la scène improvisée pour se remettre à jaser entre eux. Lui semblait habitué et ne s'en formalisait pas.

Après deux ou trois autres chansons, mélange de fond de terroir gigueux et de frénésie citadine politico-poétique pleins de sève et de vie, il posa sa guitare à côté de lui, mit les poings sur ses hanches, dévisagea les spectateurs des premières tables.

« Vous avez vraiment pas envie de m'entendre, à soir, hein, gang de tout-nus? »

Des rires, quelques ripostes gentilles, d'autres plus acerbes où pointait un vrai agacement.

« Quand vous allez à la Comédie canadienne, vous les endurez, les vedettes américaines! »

Il s'était piégé lui-même, les réponses partirent comme des coups de feu :

« On y va jamais, à la Comédie canadienne!

— J'ai vu Jacques Brel en vedette américaine! Laisse-moi te dire que c'était autre chose!

— Quand tu chanteras à la Comédie canadienne, on t'endurera, pas avant!

— Mais y'a pas de danger que ça t'arrive de sitôt!

— Avant que je paye cinq piasses pour aller t'entendre chanter, mon p'tit gars... »

Tout le monde semblait s'amuser, lui le premier.

Je pensais à *La Bohème* dont j'avais écouté le deuxième acte, la veille, au café Momus, à Musetta qui guidounait avec son vieux beau pour lui faire payer la note de toute sa bande d'artistes sans le sou, au décor que j'avais imaginé, très différent de celui-ci, où l'odorat était moins sollicité, en tout cas, à la musique, sublime, qui gommait tout, surtout le malheur. Où était la scrofuleuse Mimi parmi ces fausses Juliette Gréco? Le grand barbu, à la table à côté, peignait-il et son ami, tout maigre et si nerveux, écrivait-il des vers frileux pour une femme qui le faisait souffrir?

Avais-je ma place au milieu de cette bohème moderne qui carburait au double espresso? Avais-je même envie de m'y tailler une place? Je sentais que François Villeneuve pouvait devenir l'inspiration qui comble de bonheur et fait souffrir en même temps, qui comble et dépouille, mais tout ça ne me demanderait-il pas trop d'énergie, des ressources de forces que je ne possédais pas? Je n'avais jamais été convaincu d'être fait pour vivre de grandes choses; il m'arrivait de penser que je préférerais toujours les lire dans les livres, en être témoin au cinéma ou les écouter à travers des œuvres lyriques sans aucun rapport avec la vraie vie et dont je ressortais ému mais absolument intact.

L'amour, le vrai, était-il aussi nourrissant qu'un opéra?

Pleurer sur Rodolfo, oui; mais le *vivre*!

(Tu le sauras jamais si tu l'essayes pas, imbécile!)

Pendant ce temps-là, Tex continuait à s'engueuler amicalement avec les spectateurs.

« Bon, c'est correct, j'ai compris, j'm'en vas... »

Applaudissements, bravos nourris et généreux.

« Ma gang de... Alors sans plus tarder, comme disait Michelle Tisseyre à *Music Hall*...

— A'l' a jamais dit ça!

— ... celui que vous attendiez tous, le baryton de l'avenir, le bourreau des cœurs des trois sexes, François Villeneuve! »

Le gars qui sortit de derrière le comptoir pour venir se placer à côté de Tex n'était plus celui que j'avais vu sur la scène du Her Majesty's et croisé dans l'autobus Sherbrooke. Qu'est-ce qui avait bien pu changer en lui? Physiquement rien, c'était toujours le grand échalas au visage carré et aux bras un peu trop longs... Il n'avait pas retouché sa coiffure... Ah... le sourire! Le sourire avait changé, plus large, plus assuré surtout, le sourire conquérant de celui qui se sent à l'aise et qui est sûr de plaire. De la petite souris apeurée en collants bleus des rues de Vérone, il était passé au rat de la rue Clark, le fameux rat de profession dont les femmes parlent tant, dont elles disent volontiers : « Faites attention à lui, y'est dangereux, c'est un rat ! » J'avais failli m'estropier pour un vulgaire rongeur professionnel !

Si je me levais tout de suite, je pourrais peut-être attraper mon dernier autobus et mon gâteau au chocolat... mais il faudrait traverser toute la salle, déranger les spectateurs, essuyer des injures pour mon impolitesse et des moqueries pour mon os de veau... François me verrait sûrement, il pourrait même aller jusqu'à m'apostropher devant tout le monde... (l'esprit d'escalier est une de mes grandes spécialités) ; peut-être irait-il même jusqu'à la dénonciation... Je savais que je dérapais, mais j'étais tellement furieux contre moi-même que je me laissais méchamment aller à m'arracher la peau du cœur. Non, mieux valait subir le tour de chant du baryton de l'avenir... en espérant qu'il soit mauvais à chier, évidemment.

Il fut divin.

Ferland, Léveillée, Vigneault, Brousseau, Desrochers, Lévesque et tous les autres, peut-être jusqu'au grand Félix lui-même, pouvaient aller d'ores et déjà guetter leurs arrières, un grand chansonnier naissait sous mes yeux et allait tout détruire sur son passage s'il s'en donnait la peine. Au bout d'une chanson — il avait commencé par une complainte absolument bouleversante sur un petit garçon qui faisait sa première communion en état de péché mortel —, j'étais cloué sur ma chaise ; au bout de quatre, j'étais amoureux fou. De lui, de son talent et, surtout, de ce qu'il en faisait.

Jusque-là, j'avais dissimulé mon orientation sexuelle dans des œuvrettes absconses que j'étais le seul à pouvoir déchiffrer ; lui faisait la même chose

— on n'était jamais sûr que c'était de ça qu'il parlait, on ne pouvait que s'en douter —, mais avec un talent foudroyant qui vous laissait pantelant à la fin de chaque chanson et prêt à tuer pour en entendre une autre. J'avais l'impression qu'il s'adressait à moi personnellement, c'était la première fois parce que les autres auteurs-compositeurs que j'admirais étaient irrémédiablement hétérosexuels, et je vivais un moment absolument unique d'intensité et d'émotion. Je luttais, pourtant, je me disais qu'il ne fallait pas que je me laisse aller, que j'avais décidé de le trouver mauvais parce qu'il pouvait éventuellement représenter une menace pour moi, mais son talent était plus fort que tout, ses chansons me rentraient dedans en démolissant toutes mes défenses.

Ce n'était pas des envolées comme chez Genet ; cela avait plutôt la simplicité de Clémence Desrochers, et sa si belle sincérité, mais transposées dans un autre monde, un monde encore plus près de moi si la chose était possible (Clémence était jusque-là mon idole absolue chez les chansonniers québécois), dont je pouvais dire que c'était mon monde à moi, qu'il parlait jusqu'à la moindre petite fibre sensible de mon être.

Juste avant sa deuxième chanson, François m'avait aperçu à ma table au fin fond de la salle. Il avait planté ses yeux dans les miens comme pour me dire : « On est bien loin de Gounod, hein ? »

Oui, et on risquait de ne plus jamais vouloir y revenir !

Il ne se prenait pas pour Félix Leclerc non plus ; après sa première chanson interprétée debout derrière sa chaise, il s'était simplement assis en souriant aux applaudissements, avait accordé sa guitare en parlant au public — c'est à ce moment-là qu'il m'avait vu —, était resté là, sa tête dépassant à peine les autres, visage intelligent qui flottait dans la lumière ambrée du minuscule projecteur. Et il chantait pour moi tout seul. Je savais que tous les autres spectateurs avaient la même impression, mais moi j'étais convaincu que j'avais raison (eux aussi, probablement).

Les images passaient sur moi comme de courtes mais puissantes révélations que je n'avais pas le temps d'analyser mais qui s'imbriquaient les unes dans les autres en une sorte de florilège de pensées dans lequel, j'en étais convaincu, je ne me lasserais jamais de puiser.

François Villeneuve était pourtant à peine plus âgé que moi, je n'étais pas sûr qu'il avait vingt-cinq ans, mais ses chansons possédaient les qualités d'œuvres d'un artiste qui crée depuis des années et qui a presque atteint le sommet de son art.

Tout ce que j'avais écrit jusque-là, mes contes fantastiques, mes pièces réalistes, mes tentatives de poèmes, mes brouillons de livrets d'opéra, me semblait tellement insipide, tellement dérisoire à côté de ce que j'entendais que je connus une longue et pénible minute de pure jalousie. Une aiguille chauffée à blanc avait pénétré mon cœur et brassait comme un tisonnier ce qu'il recelait de plus laid. Mais cette minute passée, l'étonnement, l'admiration, l'amour — oui, j'étais convaincu que c'était ça l'amour, que l'admiration devait se mêler au désir — revinrent en force et me submergèrent définitivement.

Son tour de chant fut trop court, peut-être trois quarts d'heure, mais il resta sourd aux applaudissements en cadence et aux hurlements qui le suppliaient de rester assis sur sa chaise, de poser ses doigts sur les cordes de sa guitare, de nous enchanter encore (et toujours, si possible) avec ces courtes tranches de vie qui nous subjuguaient.

Les lumières revenues, les applaudissements s'éteignirent et la salle sombra dans un silence des plus révélateurs : les Jean-Paul de café n'osaient plus pontifier et leurs disciples n'avaient plus envie de faire semblant de les écouter. Les Juliette Gréco, elles, gardaient la tête tournée en direction des toilettes — la loge des artistes ? — où François avait disparu. Quelques hommes attablés au premier rang et que je n'avais pas remarqués jusquelà avaient eux aussi les yeux rivés sur la porte des toilettes, ce qui me fit reprendre conscience du peu d'importance de ma présence au El Cortijo ce soir-là. Si François commençait déjà à avoir un fan club d'homosexuels — et ceux-ci semblaient particulièrement énamourés — mieux valait me retirer tout de suite pour éviter de trop souffrir, de me consumer avant même d'avoir eu la chance de consommer.

Je m'étais tellement éloigné du plan que j'avais mis une semaine à élaborer que c'en était ridicule. Je recommencerais une autre fois.

J'étais déjà debout et je tendais le bras vers mon manteau qui avait eu le temps de sécher dans la chaleur ambiante — et de s'imprégner, sans doute à tout jamais, de la délicieuse odeur des Gitanes sans filtre — lorsque François ressortit des toilettes. Nous étions face à face, je ne pouvais pas ne pas le saluer. Il me rendit mon salut en me criant de bord en bord du café :

« Attends-moi, faut que j'te parle ! »

Une cinquantaine de personnes me haïrent. Étonnamment, j'en fus flatté : j'aimais presque autant leur jalousie que d'avoir été remarqué par François.

Je me rassis en me frottant le genou. J'avais même oublié ma douleur pendant le tour de chant.

Il passa entre les tables en serrant des mains et en repoussant les compliments d'un haussement d'épaules — les énamourés essayèrent de le retenir un peu plus longtemps, devinrent trop insistants

et se retrouvèrent devant un François complètement refermé et d'une froideur sans rémission —,
puis vint me rejoindre après avoir embrassé
quelques Juliette parmi les plus enthousiastes.

«Veux-tu un autre café?»

Il prit mon manteau, le posa sur le dossier de la
chaise, s'assit.

«Non, non, j'dormirais pas de la nuit.

— T'as l'intention de dormir?

— Ben... oui.»

Ce n'était évidemment pas la réponse qu'il
attendait. Il tapota la table de bois du bout des
doigts.

«Décidément, t'arrêtes pas de m'étonner.»

Moi, je l'étonnais? Après le spectacle qu'il
venait de donner?

«Pourquoi tu dis ça?

— Écoute... J'vas te poser la question franchement... M'as-tu suivi à la sortie du Her Majesty's?»

Je l'aimais définitivement mieux sur la scène
que dans la vie!

«Ça paraissait tant que ça?

— Non, mais j'voulais être sûr... J'aime mieux
que tu sois franc plutôt que t'inventes des raisons
invraisemblables d'être ici... As-tu aimé mes chansons?»

Cette dernière phrase avait été dite sans transi-
tion, comme une question trop longtemps retenue qu'on lance rapidement, pour s'en
débarrasser. Et ce qui sortit de ma bouche, dans sa
grande banalité, se situait à des millions d'années-
lumière de ce que je pensais vraiment:

«Oui, pis j'tais pas le seul, hein? C'est-tu
comme ça chaque fois que tu chantes?

— Ça a pas d'importance... Écoute, t'es le premier étranger — excuse-moi de t'appeler comme
ça —, t'es le premier étanger qui vient m'entendre
depuis longtemps... chus tanné de toujours

105

chanter pour le même monde qui connaissent mes chansons par cœur pis qui ont pus aucune objectivité... J's'rais content que tu me parles, que tu me dises c'que t'as pensé... T'as l'air d'un gars intelligent... »

La déception dut se lire sur mon visage parce qu'il rougit d'un seul coup.

« C'que j'te dis-là est ben malhabile, pourquoi on irait pas jaser ailleurs ?

— Ailleurs ? Où, ça ?

— J'avais l'intention d'aller aux Quatre Coins du Monde avant que ça ferme... »

Mon plan !

« Y'est trop tard pis...

— Ta moman t'attend ?

— C'pas ça, non... mais y me reste même pus deux piasses...

— Laisse faire ça, j'ai eu ma paye, j't'invite. J'ai même de l'argent pour prendre un taxi...

— Oui, mais moi j'en aurai pus pour rentrer chez nous, après...

— On verra ça dans le temps comme dans le temps... J't'en passerai... si y m'en reste... sinon, on s'arrangera... »

Il rit de bon cœur de ma confusion.

« T'es pas habitué aux coups de tête, hein ?

— Chus surtout pas habitué à me faire bosser !

— Excuse-moi... J'veux pas te bosser... Écoute, j'comprends, si tu reviens un jour, on reparlera de tout ça... »

Je n'eus pas le temps de répondre — de l'envoyer chier, en fait — qu'un grand brouhaha se fit entendre du côté de l'entrée. Une femme entrait, énervée au plus haut point, le manteau ouvert malgré le froid, le verbe haut, la voix dramatique :

« Gilles s'est fait voler ses chansons ! »

Elle aperçut François, se précipita vers nous comme une locomotive aux freins en panne.

« François, Gilles s'est fait voler ses chansons ! »

Elle me regarda de la tête aux pieds.

« C'est qui, lui ? »

Je me levai, me présentai.

Elle me tendit une main forte, chaleureuse.

« Enchantée. Françoise Berd. »

Son nom me disait quelque chose ; sa tête aussi mais je n'arrivais pas à la replacer.

Elle enchaîna sans donner le temps à François d'ouvrir la bouche :

« Imagine-toi donc qu'on devait venir t'entendre chanter après avoir visité le local, en face... J't'ai dit qu'y'avait un local à louer de l'autre côté de la rue Clark et que j'vais peut-être le louer pour rouvrir L'Égrégore ? Oui, j'te l'ai dit, j'm'en rappelle... En tout cas, j'avais dit à Gilles, rencontrons-nous vers onze heures et demie, j'vais te montrer le local, et après on va aller entendre mon beau François, tu vas voir, tu vas tomber sur le cul, tu vas vouloir l'aider... En tout cas... Y'arrive, on visite, y me dit que j'devrais louer, Roland était avec nous autres, André aussi, et quand on ressort... Écoute, quelqu'un avait volé sa voiture avec c'qu'y'avait dedans ! Sa serviette avec ses manuscrits de nouvelles chansons, tout ! »

Le café au complet buvait ses paroles. Elle se tourna vers Tex qui se dirigeait justement vers notre table :

« Gilles Vigneault vient de se faire voler ses nouvelles chansons ! »

L'annonce subite de la déclaration de la Troisième Guerre mondiale n'aurait pas eu un effet plus dévastateur. On aurait dit qu'une chape de bronze était tombée du plafond pour figer à tout jamais le El Cortijo dans un tableau vivant représentant la Tragédie visitant les Beatniks.

François brisa le silence en posant une main sur l'épaule de la messagère de malheur :

« Y'est où, là, Gilles?

— Y'est parti au poste de police. Avec Roland et André. Mon dieu! Si y fallait qu'y les retrouve pas! Peux-tu imaginer ça, toi, perdre des chansons?»

Et François eut une de ces répliques malheureuses si révélatrices et qu'on voudrait renier aussitôt après les avoir prononcées alors qu'il est irrémédiablement trop tard:

« Mon dieu! Y'en écrira d'autres!»

Il perdit aussitôt l'estime et le respect des cinquante personnes qui l'entouraient. Ils l'aimaient tous beaucoup, ils voyaient sûrement en lui la relève que les journaux réclamaient déjà alors que la première génération d'auteurs-compositeurs d'après Félix venait à peine de naître, une grande partie d'entre eux le trouvaient de leur goût et auraient remué ciel et terre pour baiser avec lui, mais Gilles Vigneault était jusqu'à nouvel ordre *sacré* et même lui ne pouvait le toucher sans y perdre quelques plumes.

Il essaya aussitôt de tourner la chose en plaisanterie mais personne ne fut dupe:

« Voyons donc, y'est pas sénile, y doit s'en souvenir, y'aura aucun problème à les reconstituer...»

Personne ne répondit; certains baissèrent la tête.

Ils avaient l'air de faire un acte de contrition à sa place. Moi, j'avais plutôt envie de rire devant cette dévotion un peu bébête.

Alors, plutôt que de faire amende honorable ou de s'improviser une excuse qui satisferait tout le monde sans que lui-même perde la face, François explosa:

« Que c'est ça, ces têtes d'enterrement-là! Une chanson, c't'une chanson, bonyeu, c'est pas le manuscrit du *Sacre du printemps* qui a été perdu! Faut remettre les choses dans leur perspective! Chus convaincu que vous le prenez plus mal que lui ! Voyons donc, y va être le premier à en rire, pis y va se remettre à sa table de travail ! »

Il s'embourbait, il le savait ; il se tut.

Françoise Berd le prit par le bras et voulut l'entraîner vers la sortie.

« Viens-t'en, j'vais te montrer le local en attendant qu'y reviennent du poste de police...

— J'vais aller chercher mes affaires... »

L'air abattu, il jeta un tout petit coup d'œil dans ma direction.

« Vas-tu m'attendre ? »

Avais-je le choix ?

En fait, je l'avais, mais la perspective d'aller visiter un local qui risquait de devenir un théâtre, de rencontrer enfin des artistes en personne, de faire la connaissance du grand Gilles Vigneault lui-même, réduisait mon hésitation à une très petite résistance, un avertissement de danger, en fait (Tu vas te retrouver encore plus seul pis plus malheureux quand tu vas te coucher, ce soir !), auquel je passai outre en le balayant de la main.

« Oui, oui... On va aller t'attendre dehors... »

Françoise Berd m'avait pris par le bras.

« Ça fait longtemps que tu connais François ?

— Non. En fait, j'le connais pas du tout. Je l'ai vu dans *Roméo et Juliette*, ce soir, on s'est parlé après...

— C'est vrai ! Y faisait de la figuration, ce soir ! Avec tout ça, j'ai oublié d'y demander comment ça avait été ! Est-ce qu'on le voyait, au moins ?

— Avec la perruque blonde pis le caluron bleu qu'y'avait sur la tête, on pouvait pas le manquer ! »

Son rire était le plus doucement tonitruant que j'avais jamais entendu ; ça tenait à la fois du tonnerre et de la source vive, ça vous donnait envie de se joindre à lui en se foutant de tout le reste. Elle s'essuya les yeux.

«Mon dieu! Je ris pendant que mon pauvre Gilles est en train d'essayer d'expliquer à la police qu'y se fout de sa voiture mais qu'y faut absolument qu'y retrouve ses manuscrits!»

François revenait, guitare à l'épaule. Les bonsoirs qu'on lui concédait étaient encore teintés de reproches et aucune Juliette Gréco ne l'embrassa. Mon problème de jalousie s'était réglé de lui-même, je pouvais respirer.

*

Dehors, le froid était encore plus vif qu'à mon arrivée, la glace coupante comme un champ de lames de rasoir. Je pris mille précautions pour traverser la rue; François et madame Berd me soutenaient. Cette dernière arbora un air contrit pour me demander:

«Excuse-moi de te demander ça comme ça, mais boites-tu toujours comme ça?»

François ricana.

«Non, non, c'est en courant après moi qu'y s'est fait ça...»

Je me libérai de leur étreinte, croisai les bras au beau milieu de la rue Clark, comme un enfant boudeur.

«Aïe! Lâche un peu, là!»

François repris mon bras. Ce sourire dévastateur lui venait-il automatiquement, aussitôt qu'il en avait besoin? Il n'avait même pas à y penser, ça fleurissait tout seul? Et le pire était que ça devait marcher à tous coups parce que je me sentis mollir jusqu'à la racine du cœur et me mis à parler tout bas:

«Pourquoi t'as dit ça?

— Tu peux quand même pas prétendre que c'est pas vrai!

— C'est pas nécessaire de le dire devant tes amis! Pis de la façon que t'as dit ça, c'est comme si j'te courais après depuis des mois!

— C'tait une farce! Écoute, y'avait aucune malice dans ce que j'ai dit, j'te le jure!»

Il semblait sincère. Mais allez donc savoir avec ce genre de gars-là.

Françoise Berd avait sorti une énorme clef de cadenas de son sac à main.

«Si vous vous revoyez, vous deux, ça sera pas beau à voir! J'veux que vous me promettiez de m'inviter à vos engueulades!»

*

Il fallait beaucoup d'imagination pour croire qu'un théâtre pourrait un jour occuper cet espace exigu et surchauffé, une vieille manufacture — mais de quoi? des chemises? des boîtes de carton? — qu'on allait bientôt déménager dans un local plus grand et que le propriétaire cherchait à louer pas cher. Mais madame Berd semblait posséder une foi inébranlable en son rêve et nous expliquait tout avec conviction et force détails: l'emplacement de la scène là où une énorme machine dressait encore ses bras métalliques, l'inclinaison des rangs de fauteuils (le plafond n'était-il pas un peu bas pour prévoir une salle en pente?), les loges, petites mais, espérait-elle, confortables, le système d'éclairage à peine adéquat mais suffisant pour une si petite salle et, par-dessus tout, l'atmosphère qui régnerait dans ce théâtre de poche consacré aux auteurs modernes.

Elle devenait lyrique, elle ne nous regardait plus, elle n'avait peut-être plus conscience de notre présence. J'avais l'impression de voir quelqu'un rêver tout haut; c'était beau, grand même, et touchant de naïveté. Et puis non, en l'écoutant parler, je me rendis vite compte qu'elle n'était pas du tout naïve; elle était décidée et têtue sous sa couche de vernis lyrique.

«J'ai tellement hâte d'être enfin chez moi, si vous saviez! J'en ai assez de produire ici et là, chez les autres, des spectacles qui marcheraient plus si on était chez nous! On commence à avoir un public, vous savez, un public de l'Égrégore qui veut voir des spectacles de l'Égrégore et je lâcherai pas prise tant qu'y pourra pas venir à un spectacle de l'Égrégore à l'Égrégore!»

Je la replaçais, maintenant, avec sa voix cassée et son enthousiasme à toute épreuve. Je l'avais souvent aperçue en interview à la télévision et ses propos m'avaient toujours passionné. Ex-assistante ingénieur du Bell, elle avait fondé quelques années plus tôt, avec des amis, une troupe de théâtre qu'ils finançaient avec le peu d'argent qu'ils possédaient. J'avais vu leur magnifique *Femme douce* de Dostoïevski montée par Roland Laroche, avec Marthe Mercure, et j'en gardais un souvenir ému. Éternels vagabonds, ils se cherchaient un endroit où se fixer et semblaient l'avoir enfin trouvé.

Nous n'étions pas là depuis dix minutes qu'elle avait déjà promis et prédit son premier triomphe à François dans cette même salle pourtant encore à construire. François faisait celui qui écoute, se laissant bercer par de belles promesses, mais une lueur dans ses yeux, comme une goutte d'eau dans ses iris qui bougeait un peu quand il se concentrait, me disait qu'il voyait plus loin; si jamais il quittait le El, il ne se contenterait pas de traverser la rue pour aller gratter sa guitare devant le même public ou presque.

Madame Berd me regardait avec les yeux d'une personne qui est sûre de ce qu'elle dit même si tous autour doutent:

«Tu me laisseras ton adresse, j'vais t'inviter à notre ouverture! Et à la première de notre François!»

Notre François?

Était-elle en train de nous marier?

Je voulais bien perdre ma virginité avec lui s'il le voulait, mais je n'étais pas prêt pour la maison de banlieue, le chien et le serin en cage! Tout de même!

Des pas dans l'escalier, une voix essoufflée:

«Françoise, avais-tu oublié quelque chose?»

André Pagé, un acteur qui faisait se pâmer tous les cœurs de jeunes filles (et de jeunes hommes comme moi) dans une émission de télévision pour la jeunesse, entra dans la manufacture en courant. Il était tellement beau que la laideur des lieux s'estompa à son arrivée. François frémit un peu, comme quelqu'un rendu mal à l'aise par une force qu'il ne peut pas contrôler.

André Pagé lui tendait la main.

«Ah! Salut, François...»

Les présentations faites (j'avais encore eu de la difficulté à prononcer mon nom tant j'étais impressionné et je n'étais pas convaincu qu'il l'avait compris; en fait, j'étais plutôt d'avis que ça ne l'intéressait pas du tout), il continua en s'adressant à madame Berd:

«J'pensais que t'étais rentrée chez toi, j'ai téléphoné, il n'y avait personne...

— Gilles a-tu retrouvé ses chansons?

— Non, et les policiers lui ont dit qu'il avait peu de chances de jamais les retrouver...»

Comme je m'attendais à la mine catastrophique que prit Françoise Berd, je jetai un regard en direction de François. Je l'avais mal jugé, aucune petite lueur de triomphe ne parut dans ses yeux; il n'était pas jaloux de Gilles Vigneault. Il semblait sincèrement désolé. Il remonta d'un cran dans mon estime.

La directrice de l'Égrégore secouait la tête.

« C'est de ma faute, aussi! Si je l'avais pas invité à venir visiter le théâtre...

— Françoise, arrête de tout prendre sur toi comme ça, t'es responsable de rien... Et arrête surtout d'appeler ça un théâtre, c'est loin d'être fait!

— Y'est où, là, Gilles?

— Il est reparti, qu'est-ce que tu voulais qu'il fasse... Il m'a dit qu'il essaierait de retranscrire ses chansons de mémoire le plus vite possible, pendant qu'elles sont encore fraîches... »

François haussa les épaules.

« Qu'est-ce que j'avais dit... »

Madame Berd ressortait la clef de son sac, se dirigeait vers l'escalier.

« En attendant, v'nez-vous prendre un verre à la maison? J'ai pas le courage d'aller me coucher tout de suite, j'dormirais pas... »

Petites protestations de refus de la part de tout le monde; André Pagé voulait aller se coucher, François avoua son envie de fermer les Quatre Coins du Monde pour dissiper l'adrénaline accumulée au long des deux spectacles de la soirée, et moi de rentrer tranquillement à la maison reposer mon genou.

« Vous êtes ben ennuyants! La nuit est encore jeune! »

Elle me prit par le bras. Cette fois, ce n'était pas pour m'aider, mais pour me convaincre de la suivre.

« Mes martinis sont célèbres dans toute la ville, tu sais!

— J'ai jamais bu ça de ma vie. J'ai même jamais bu de bière!

— Y'est jamais trop tard pour commencer! Et je suis l'initiatrice tout indiqué pour toi! »

André Pagé secouait la tête en souriant. Il s'était arrêté à la hauteur de sa voiture.

«Françoise, n'insiste pas! S'il ne veut pas boire, c'est de ses affaires! Et lui offrir un martini à cette heure-ci, franchement!

— J'ai dit des martinis, mais ça peut être n'importe quoi...»

Il se tourna vers nous.

«J'peux aller reconduire tout le monde, par exemple...»

*

Nous nous retrouvâmes donc tous les quatre dans la voiture: Françoise bien installée en avant, François et moi derrière. J'avais protesté (mais pas le chanteur ni madame Berd) et André m'avait répondu que ça lui ferait du bien de faire le tour de la ville avant de rentrer chez lui, que ça le détendrait.

«On commence par où?»

Il me regardait dans le rétroviseur; j'en profitai pour prendre la parole.

«J'reste dans l'Est... Cartier au coin de Mont-Royal...»

François me donna un coup de coude.

«Tu m'avais dit que tu venais avec moi...

— Chus trop fatigué... Une autre fois...

— Tu vas pas me laisser tomber comme ça...»

Il se pencha, posa son menton sur le dossier de la banquette, entre les deux passagers d'en avant.

«Y s'en vient avec moi. V'nez-vous?»

Françoise riait. Elle replaçait son chapeau de fausse fourrure qu'elle avait accroché au montant de la voiture en s'asseyant.

«Ces endroits-là, c'est pas notre genre, François...

— Les hétérosexuels peuvent entrer...

— ... mais y sont pas bienvenus et j'ai pas envie de me faire regarder comme si j'étais une martienne en manteau de fourrure qui sait pas où a' met les pieds! Pis André est trop connu pour entrer là! Tu sais comme vous êtes rapides pour sauter aux conclusions!»

Je tapotais doucement le bras de François.

«J'aimerais vraiment mieux rentrer chez nous... Chus pas mal fatigué...

— Une promesse, c't'une promesse...

— J'ai rien promis...

— J't'en fais une, moi, une promesse... J'te promets sur la tête de ma guitare d'aller te reconduire chez toi, quelle que soit l'heure où on va sortir de là!»

Les Quatre Coins du Monde était tout de même l'endroit que j'avais eu l'intention de visiter en sortant de *Roméo et Juliette*... Je me retrouvais donc presque à mon point de départ.

André Pagé s'impatientait.

«Décidez-vous, on est au coin d'Ontario; j'vais à gauche ou à droite?»

Françoise s'était tournée vers nous et nous couvait du regard.

«Va donc à droite. J'pense que François a encore gagné!»

J'aurais voulu protester, clamer mon autonomie, exiger qu'on me laisse ouvrir la porte, sortir de la voiture, attendre bravement le prochain taxi (même si je n'étais pas sûr d'avoir assez d'argent pour le payer), mais je me disais aussi, incapable de me le cacher, que je n'avais plus du tout envie de rentrer à la maison, que le sort avait voulu me ramener là où j'avais voulu aller au départ et qu'on ne doit pas lutter contre le sort quand il est aussi puissant. S'il était écrit dans le ciel ou ailleurs que je devais me rendre cette nuit-là aux Quatre Coins du Monde, je devais me laisser ballotter par le hasard, dériver là où il voulait me voir échouer, accepter ses impondérables comme un cadeau, et non comme un mauvais sort.

Je réalisai aussi tout à coup que les trois personnes qui se trouvaient avec moi dans la voiture prenaient tout naturellement pour acquis que j'étais homosexuel et que ça ne semblait avoir aucune espèce d'importance pour eux. Pour François c'était normal, mais pour les deux autres... Des hétérosexuels pouvaient donc *savoir* sans que ça change quoi que ce soit dans leur comportement envers moi? Le milieu des artistes était-il à ce point truffé d'homosexuels qu'ils en devenaient presque la norme? Tout ce qu'on racontait et les potins que je m'étais abaissé à lire dans le *Ici Montréal*, le pire journal jaune de la ville, étaient donc vrais!

André et Françoise paraissaient même s'amuser de ce qui semblait vouloir s'amorcer entre François et moi. Étaient-ils habitués à voir le chanteur draguer n'importe qui, faire marcher tout le monde pour le seul plaisir de séduire? Et si je jouais le jeu (malgré mon grand orgueil, j'en avais envie, ne serait-ce que pour savoir jusqu'où ça me mènerait...), saurais-je m'arrêter à temps, me retirer avant de souffrir? Aurais-je le courage de m'enfuir si jamais je me rendais compte que François devenait véritablement dangereux? C'était aussi ça, l'amour; le danger? Pas seulement le danger d'aimer, mais celui d'aimer la mauvaise personne. Je n'avais jamais pensé à ça; jusque-là, mes rêves avaient été peuplés de Burt et de Marlon dont le seul but dans la vie était de me rendre heureux (surtout physiquement, bien sûr). Et voilà que se présentait un François tout à fait de mon goût, mais dont je n'arrivais pas à saisir les intentions, et qui semblait déjà penser que je lui étais tout dévoué alors que j'avais envie de le frapper autant que de l'embrasser!

J'en aurais des choses à régler avant de m'endormir, cette nuit-là! Si je dormais... Pour la première fois, j'essayai de déshabiller François en pensée, mais mon esprit était trop habitué aux souvenirs de *From Here to Eternity* ou de *A Streetcar Named Desire* et je doutais qu'un gratteux de guitare possédât ce genre de physique... Était-il poilu? Complètement glabre? Saurait-il... Comment ferait-il pour... Je me surpris à rêver en euphémismes visuels alors que mes nuits en compagnie de Burt et de Marlon avaient toujours été du genre explicite.

Mon Prince Charmant n'avait pas de cheval, ses biceps ne faisaient pas éclater les manches de son t-shirt, mais il possédait une guitare et un gigantesque talent qui risquaient de le mener loin; après tout, ce n'était pas si mal.

François avait justement sorti son instrument de son étui de carton bouilli et plaquait des accords en murmurant des choses incompréhensibles. Il n'allait tout de même pas se mettre à jouer les inspirés absents de ce qui les entoure après m'avoir presque supplié de le suivre!

Les bars de la rue Sainte-Catherine commençaient à se vider. Françoise tapotait la boîte à gants du bout de ses doigts, en rythme avec la musique.

«À quelle heure ça ferme, tes fameux Quatre Coins du Monde? Y commence à être pas mal tard...

— Quand les bars qui se respectent ferment, ceux qui se respectent pas sont toujours là pour nous accommoder...»

La nuit allait être longue!

Tant mieux!

*

«On va descendre juste au coin, là... Vous venez toujours pas avec nous autres, lâcheux?»

À peine étions-nous sortis de la voiture — la porte n'était pas encore refermée — que j'entendis Françoise Berd s'écrier:

«André! R'garde! C'est la voiture de Gilles!»

Je ne savais pas laquelle des voitures elle montrait au milieu du capharnaüm bruyant de cette fin de soirée et je regardais partout à la fois; François, lui, se contenta de hausser les épaules.

Nous pouvions entendre André Pagé rire.

«Voyons donc! Comment peux-tu reconnaître la voiture de Gilles! Tu l'as vue une fois!

— J'te dis que c'est elle! On tient notre voleur!

— Françoise, tu me feras pas courir derrière une voiture inconnue juste parce qu'elle ressemble un peu à celle de Gilles Vigneault!

— Mais y serait tellement content si on trouvait son voleur!»

La porte claqua, les roues glissèrent sur la glace, la voiture s'éloigna en dérapant.

Nous nous retrouvâmes tous les deux au coin de Sainte-Catherine et Stanley; François serrait sa guitare contre lui, moi je me frottais le genou en retenant une grimace.

«Penses-tu qu'y vont vraiment poursuivre c'te voiture-là?»

François eut un sourire sibyllin.

«Ces gens-là sont capables de beaucoup de choses...»

IL EST ACCESSIBLE ;
MAIS M'INTÉRESSE-T-IL VRAIMENT ?

C'était un local tout en longueur au demi-sous-sol d'un vieil immeuble de la rue Stanley au sud de Sainte-Catherine; le mur de gauche était occupé par un bar massif en bois verni surmonté de l'inévitable miroir en grande partie dissimulé par des centaines de bouteilles d'alcool; une série de petites tables trop tassées pour représenter l'oasis d'intimité pour laquelle elles avaient été pensées longeaient celui de droite. La musique, pas mal sirupeuse à mon goût, coulait comme un accompagnement prévu pour se faire oublier et, évidemment, ça sentait le tabac refroidi et l'haleine d'alcool. Tout pour me plaire.

Il ne faisait pas assez clair pour vraiment distinguer le visage des hommes qui évoluaient dans cet espace réduit, juste assez pour qu'on se rende compte que toutes les têtes se tournaient vers la porte lorsqu'on entrait. Dans l'espoir que le bon, le Mister Right des nuits d'insomnie, celui au physique d'un dieu grec et à l'intelligence d'un génie, se présente enfin...

François m'avait prévenu que les premières secondes seraient déterminantes, qu'il fallait tout de suite faire bonne impression si je ne voulais pas finir tout seul le long du mur à siroter une bière tiédie en attendant que passe le Père Noël. Je lui avais avoué, juste avant d'entrer aux Quatre Coins du Monde, que je n'avais jamais mis les pieds dans un bar spécialisé, sans toutefois avoir le courage de lui dire que je le suivais dans cet endroit pour être avec lui et non pour draguer en sa compagnie, ce dont il ne semblait pas se rendre compte. Mais je n'étais pas préparé à ce moment plus qu'intimidant, presque terrorisant, où des dizaines de paires d'yeux vous détaillaient de la tête aux pieds en jugeant, soupesant, jaugeant avec une franchise insultante la marchandise que vous représentiez pour eux. Au parc Lafontaine, chaque arbre pouvait se transformer en un candidat potentiel pour le septième ciel ou le troisième sous-sol et les déceptions, quand elles survenaient, pouvaient toujours se dissimuler dans l'ombre protectrice des allées bordées d'érables et d'ormes. Mais ici les prospects étaient tous réunis au même endroit et vous humaient comme une meute aux aguets avec un sans-gêne outrageant.

Même dissimulé derrière l'épaule de François que j'avais laissé passer en premier — il était nettement plus beau que moi et avait de l'expérience —, je me sentis pesé, estimé et vite rangé dans la catégorie des «ordinaires» devant lesquels il ne valait vraiment pas la peine de se forcer. Je ne m'étais pas attendu à déclencher une émeute de soupirants salivants et transis, mais me voir préférer une bière tablette ou un double scotch était nouveau pour moi et parfaitement humiliant.

La guitare de François sembla intéresser quelques individus pendant quelques secondes, puis notre arrivée sombra d'un seul coup dans les limbes des événements sans importance à oublier immédiatement. Même François, si sexy dans son délabré étudié, se retrouvait rejeté par cette bande d'abrutis paquetés ! Qu'attendaient-ils ? Que Marlon et Burt eux-mêmes viennent leur titiller le prurit ? À moins que François fût un habitué qui faisait partie des meubles, que tout le monde avait baisé et qui n'intéressait plus personne par manque de fraîcheur...

Tout en continuant de sourire, François me dit tout bas :

« Ça va pas être facile, c'est la soirée des balais dans le cul ! On aurait dû se déguiser en employés de bureau ou en vendeurs de chez Dupuis Frères, on aurait eu plus de chances ! »

Des messieurs en chemise blanche, cravatés jusqu'aux yeux et peignés au Wave Set, les cheveux durs comme un plancher passé au varathane, manœuvraient autour du bar en se frôlant du coude comme par inadvertance ; mais on sentait une certaine urgence dans leurs gestes trop calculés et leurs regards au bord de l'accablement.

Nous traversâmes le bar d'un bout à l'autre, nous frayant un chemin avec nos avant-bras et une série de « Pardon » et de « Excusez-nous » auxquels personne ne répondait. François déposa sa guitare en soupirant.

« Peine perdue. On pourrait tout aussi bien partir tout de suite... Y'a pas de place pour les wabos comme nous autres... En plus, ces dames sont au bord de l'hystérie parce que le *last call* arrive, pis c'est jamais beau à voir ! »

Il m'expliqua ce qu'était le *last call* et j'en fus littéralement horrifié. François souriait méchamment.

« C'est pas drôle à vivre, mais ça vaut la peine d'être vu quand t'es pas impliqué. Y'a là un quart d'heure de pure frustration très intéressant. Ce que l'être humain a de plus désespéré remonte à la surface pis tu peux contempler le fond du baril pendant un petit moment. Tu vas voir, ça s'en vient, ça va se déclencher dans quelques minutes. Veux-tu une bière ?

— J't'ai déjà dit que j'buvais pas de bière... »

— Ben tu vas en boire une à soir... Écoute, faut que tu sois un peu paqueté pour voir ça, sinon tu vas déprimer pour le reste de tes jours. Pis tu voudras pus jamais revenir ici!

— C'est vrai que chus pas venu ici pour être déprimé... J'vas peut-être en essayer une...»

(Dis-y! Dis-y! Qu'y soit branché, au moins, qu'y tombe pas des nues si tu y prends la main entre deux gorgées de bière! Peut-être qu'y sait vraiment pas qu'y te plaît! Pis peut-être qu'au contraire y'attend juste ça! Mais non... Si y'attendait juste ça, y m'aurait déjà invité chez lui, dans sa piaule, dans son antre... Arrête de rêver, t'écoutes déjà pus c'qu'y te dit.)

La bière arriva très vite et François, inconscience ou cynisme, trinqua à nos amours. La première gorgée me roula un peu dans la bouche — ça goûtait vraiment les céréales oubliées sur le comptoir de la cuisine pendant sept ans —, la deuxième me dégoûtait déjà moins. À partir de la troisième je buvais mécaniquement, sans me préoccuper si j'aimais ou non ce que j'avalais. Et l'effet, probablement à cause de ma grande fatigue et, surtout, de mon énervement, fut immédiat. Des bulles d'étourdissement me montaient au cerveau et je perdais l'équilibre pendant une fraction de seconde quand elles éclataient. Ce n'était pas désagréable. Au contraire. J'avais peur de perdre le contrôle de mes pensées et de mes mouvements. Je me mis à boire moins rapidement, à toutes petites gorgées, un peu comme le serin de ma grand-mère, qui m'amusait tant quand j'étais enfant... (Elle me disait: «'Gard, y prend sa becquée, y boit quasiment aussi vite que les hommes d'la famille!» Elle riait mais je sentais un avertissement dans ses yeux. Bois pas. Ou bois pas beaucoup. En tout cas, fais attention. Et je me retrouvais quinze ans plus tard à essayer moi-même ma première et dangereuse becquée — la bière était le fléau absolu et définitif de ma famille et je l'avais toujours fuie comme la peste — au fond d'une cage bien entretenue mais suspecte où allait se déclencher, d'une seconde à l'autre, le cataclysme promis par un gars que j'avais pris pour le Prince Charmant et qui était en train de se transformer en simple *drinking companion*... Les hommes de ma famille avaient-ils commencé à boire de cette façon, simplement pour accompagner quelqu'un, pour faire plaisir à un ami, pour faire comme tout le monde, pour faire *homme*? Est-ce que je me sentais plus homme en avalant cette décoction de houblon et d'orge fermentés? Plus qu'en écoutant le troisième acte de *La Bohème*? Est-ce que ça avait de l'importance que je me sente homme ou non? Ça tournait un peu trop et une envie de pleurer me serrait le cœur.)

François regardait partout à la fois, à l'affût, du moins je le supposais, d'un regard de reconnaissance, d'un mouvement de tête, d'un sourire invitant. Moi, malheureux imbécile, je guettais tout ça sur son visage à lui, mais il avait déjà oublié que j'existais, excité par deux bières bues coup sur coup en moins de cinq minutes, peut-être inconsciemment inquiet lui aussi du *last call* qui tardait à venir. Allait-il me lâcher là pour n'importe qui, pour n'importe quoi, pour mieux que rien, juste pour éviter de passer le reste de la nuit tout seul? Mais moi, là-dedans? J'étais moins que mieux que rien? Je lui offrais ma virginité certifiée et conservée pour un moment comme celui-ci et il la rejetait comme une denrée négligeable parfaitement ininteressante!

J'allais lui poser franchement la question — j'achevais ma bière, une certaine assurance me grimpait le long de la colonne vertébrale — lorsque la chose promise se produisit.

Un barman s'empara avec une joie méchante d'une cloche de petite école qui trônait sur la caisse et se mit à l'agiter frénétiquement en criant : « Last call ! Last call ! Y vous reste quinze minutes pour trouver le grand amour ! » Puis il alluma quelques spots (François m'avait expliqué que les lumières iraient en s'intensifiant jusqu'à ce que le bar soit complètement éclairé et les laissés-pour-compte complètement confondus) en ajoutant, moins fort, cependant : « Mais regardez-moi pas, chus trop poqué pour être cruisable, à soir ! J'vas sauter un tour ! »

Et il avait raison. Les heures passées à servir dans l'air vicié des drinks à des inconnus bruyants et anxieux, qui ne pensaient qu'à une baise hors de leur portée, et à ingurgiter lui-même petit verre sur petit verre pour s'insensibiliser, lui avaient donné un teint verdâtre et dessiné des poches sous les yeux qui le mettaient automatiquement hors du coup, hors circuit, victime de cette messe cruelle dont il était pourtant l'un des officiants.

François se tourna vers moi. Ses yeux s'étaient un peu voilés, une incontestable excitation se sentait dans sa voix.

« Ça y est. R'garde ben ça, ça part... »

En effet, au son de la cloche quelque chose avait immédiatement changé dans l'atmosphère du bar enfumé. Tout le monde avait bougé en même temps, mais pas de la même façon. Certains avaient franchement sursauté et s'étaient mis à tourner la tête dans tous les sens alors que d'autres, plus subtils ou trop paquetés, s'étaient contentés de lever un œil torve du fond de leur verre. Tous sans exception avaient bougé comme au signal précis d'un chorégraphe exigeant.

Des corps me frôlèrent, des visages rendus misérables par la peur de la solitude passaient devant moi en essayant de lire sur le mien l'ombre d'un assentiment; une main passa sur mes fesses et je fermai les yeux parce que ce n'était pas désagréable et que je ne voulais pas voir qui, quel étranger sans intérêt ou franchement dégoûtant, se trouvait au bout. Une grande envie de pleurer me prit parce que la main insistait et que je ne voulais pas qu'elle s'éloigne.

Il faisait trop chaud. J'avais gardé mon manteau; il n'était pas question que je subisse une seule autre remarque au sujet de mon os de veau et il était encore moins question que je le retire. Alors j'endurais cette impression de moiteur sur mes épaules, la rigole de sueur le long du dos, la senteur un peu suspecte qui semblait monter de tout ça. En fait, c'était sûrement l'odeur ambiante de cette centaine d'hommes à la testostérone soudainement sollicitée, mais je préférais croire que ça venait de moi, c'était plus commode pour faire pitié à mes propres yeux. J'étais convaincu que si je me déshabillais devant quelqu'un, cette nuit-là, je sentirais tellement mauvais qu'il se sauverait en courant pour aller me faire une réputation à travers la ville au grand complet; mais j'étais incapable de renoncer à mon projet, l'humiliation de revenir à la maison bredouille et encore vierge serait trop cuisante.

François n'était plus à côté de moi. Je l'avais vu partir à la dérive dans la foule de plus en plus compacte après m'avoir chuchoté: «Attends-moi... Je reviens...»

(Va donc chier! Va donc promener ta guitare dans le cul de qui tu voudras, tu m'intéresses pus! Tu m'écœures! Pourquoi me traîner jusqu'ici si c'est juste pour me montrer ça? Pour m'abandonner au moment même où une main inconnue est en train d'essayer de me convaincre qu'elle peut m'apporter une consolation dont j'ai pas encore besoin! Parce que j'ai pas besoin d'être ici! Chus pas désespéré au point d'avoir besoin de me réfugier ici! C'est toi que je voulais! Au complet! Avec tes chansons si belles pis ton si beau sourire! Ben va chier, y'est trop tard, j'm'en vas!)

La main avait remonté mon manteau, s'était glissée sur le pantalon — vu de l'extérieur, ce devait être absolument grotesque —, un doigt essayait de s'introduire entre le tissu et la peau; je repoussai violemment mon agresseur — oui, c'était une agression, je n'avais rien demandé! — et j'entendis une voix efféminée me glapir brusquement à l'oreille:

«Mon dieu! T'es direct!»

Et en ouvrant les yeux, juste derrière la tête du blondinet replet qui me regardait avec des yeux injectés de sang, gonflés par une soirée d'alcool encore mal digéré, j'aperçus le salut. Ou ce que je pris pour tel.

Appuyé au bar, les épaules voûtées, le nez plongé dans un verre de bière plein au col débordant, sa tignasse rousse luisant comme un lumignon dans la lumière qui venait de monter d'un cran, Perrette Hallery subissait lui aussi les assauts d'une main anonyme. Victoire! Quelqu'un à qui parler!

Mais François Villeneuve se dirigeait vers lui.

En fait, il progressait péniblement dans sa direction au milieu des corps agglutinés, rien ne me disait qu'il allait vraiment vers Perrette, qu'il projetait de l'aborder, de le séduire, de l'enlever, mais en quelques secondes un grand mélodrame en trois actes se déploya dans mon esprit et je crus sincèrement ma vie définitivement gâchée: je perdais mes deux prospects en même temps, ils s'éloignaient vers la porte du bar en ricanant, se tournaient dans ma direction pour me faire un insultant dernier adieu et partaient se louer une magnifique chambre au Ritz, la plus belle, la plus chère, celle que jamais, de toute ma vie, je ne pourrais me payer. Ils faisaient l'amour à ma santé dans un lit digne des mille et une nuits (du brocart, du satin, du taffetas, de la soie en veux-tu, en voilà, on est riche, on est quétaine, mais c'est pas grave!) en riant de ma déconvenue, et moi je décidais dans un grand moment de sacrifice de pratiquer l'abstinence totale et irrémédiable et de me consacrer aux lépreux d'Afrique. Ce fut court, violent et ça ne me fit aucun bien.

Il fallait que je les empêche de se voir! Une double jalousie m'aiguillonnait, aucun des deux gars n'avait le droit de me préférer l'autre, ce serait injuste; j'avais trop travaillé, trop espéré toute la soirée pour en arriver là en fin de course!

(Les deux lièvres! Je le savais!)

Mais lequel est-ce que je voulais? Et est-ce que j'en voulais vraiment un? N'avais-je pas plutôt envie, encore une fois, de m'en aller chez nous, de me réfugier sous les couvertures, de m'enterrer pour le reste du week-end avec un roman de science-fiction, une pile de journaux, un gâteau au chocolat au grand complet et une pinte de lait? Ma virginité pouvait encore attendre une semaine, *j'avais toute la vie pour la perdre!* Non, mon orgueil était incapable d'accepter ce qui risquait de se produire si François et mon Irlandais se rencontraient...

Afin de détourner l'attention de François du bar où Perrette venait de lever la tête pour jeter un coup d'œil dans le miroir, je l'appelai du plus fort que je pus.

Plusieurs têtes se tournèrent dans ma direction (ou bien ils s'appelaient tous François, ou bien j'avais vraiment crié très fort) et le chansonnier fronça les sourcils comme quelqu'un qu'on dérange dans un moment particulièrement important. Perrette m'avait aperçu, lui aussi attiré par mon cri.

À qui devais-je m'adresser? À François pour lui faire signe que je voulais partir, à Perrette qui semblait — était-ce possible? — ravi de me voir et qui déjà levait son verre à ma santé?

Je restai là, figé, avec sur les lèvres quelque chose qui pouvait s'interpréter comme un sourire pour chacun des deux gars, entre le « On s'en va-tu? » et le « Qu'est-ce que tu fais là? », du moins je l'espérais. Et à mon grand étonnement ma tentative de diversion réussit au-delà de mes espérances: non seulement François ne regardait plus dans la direction de l'amateur d'opéra, mais il aperçut quelqu'un qu'il connaissait et se dirigea vers lui en souriant et en tenant sa guitare au bout de ses bras, comme s'il venait de gagner un championnat de boxe. Aucune jalousie, cette fois. Il pouvait bien aller parler à qui il voulait, ça m'était égal à condition que ce ne soit pas Perrette.

Qui venait d'ailleurs vers moi, le sourire encore plus large, l'air sincèrement ravi. Étais-je pour lui la consolation qu'il était pour moi? Encore le maudit mieux que rien?

Il m'aborda en posant la main sur mon épaule; pendant un quart de seconde, j'eus peur qu'il la retire parce qu'elle serait mouillée, mais elle resta là, confortablement arrondie sur le tissu de mon manteau, volontairement alourdie, crus-je deviner.

Mon cœur bondit, quelque chose dans la région de mon plexus solaire se réveilla et, pour la première fois, je fus heureux de porter mon manteau.

« Hi! What are you doing here? »

(J'passais par hasard pis quelqu'un m'a poussé, niaiseux!)

J'étais trop épuisé et mon orgueil avait été assez malmené ce soir-là, je n'avais pas du tout envie de parler en anglais et je lui répondis en français.

« Chus venu prendre une bière avant d'aller me coucher, comme tout le monde... »

À mon grand étonnement, il me répondit dans ma langue avec un accent tellement joli, tellement sexy (ou était-ce moi qui étais prêt à tout trouver excitant chez lui dans les circonstances?) que je fus incapable de cacher mon étonnement.

« Moâ aussi.

— Tu parles français!

— Oui. Poorquoî tu dis ça?

— J'sais pas... J'pensais que tu parlais juste anglais. On s'est toujours parlé en anglais jusqu'ici...

— Si tyu m'avais pârlé français, j't'ôrais répondyu en français... »

C'était vrai; c'était ma faute. J'avais sauté trop vite aux conclusions, je l'avais pris pour une tête carrée, alors que c'est moi qui avais eu la tête croche.

Je m'excusai auprès de lui avec un plaisir qui m'étonna, un plaisir ni méchant ni masochiste, celui, si simple, de quelqu'un qui a la conviction de faire la bonne chose parce qu'il reconnaît avoir eu tort.

« T'as pas besoin de t'excyuser, c'est vrai qu'on n'est pâs beaucoup à parler ta langue... »

Cet accent me rendait fou et je dissimulai mon désarroi dans mon verre de bière vide.

« Tu en veux une autre?

— Non, non, merci, j'aime pas la bière... J'savais pas quoi boire, j'voulais faire comme tout le monde... »

Petit moment de gêne.

Bon, de quoi parler, maintenant, pour le retenir? Il n'avait pas l'air d'avoir envie de se sauver à toutes jambes, mais si la conversation tombait trop vite et trop bas...

La lumière monta encore d'un cran. Quelle horreur! Les buveurs autour de nous commençaient à baisser la tête, à cacher leurs yeux avec leur main; il faisait vraiment trop clair, on voyait tout, les cernes sous les yeux, les veinules d'alcool, les poches, les rides de fatigue et de frustration. Je reconnus quelques visages que j'avais aperçus au Her Majesty's plus tôt et j'espérais que tous les amateurs d'opéra homosexuels ne finissaient pas comme ça...

Étaient-ils tous en train de composer leur *Roméo et Roméo* pour oublier ce qu'ils étaient en train de vivre?

Le bar se vidait rapidement et nous n'étions plus qu'une douzaine dans la place, y compris François que je voyais du coin de l'œil en grande conversation avec un gars d'une étonnante beauté déguisé en James Dean local mais presque atteint de nanisme, ce qui lui donnait un petit air de poupée mâle assez perturbant. Ils semblaient se connaître et s'amuser follement de ce qui se passait autour d'eux. N'en faisaient-ils pas cependant partie eux aussi?

Perrette me tendit la main.

«Je me nomme Alan, et toi?»

Cette fois mon nom sortit droit et fort; je prenais de l'assurance et j'en étais fier!

Alan enchaîna aussitôt en souriant:

«Il faudrait sôrtir d'ici avant qu'ils nous mettent dewors... C'est meilleur pour nôtre répyutation...»

Il avait bien raison, mais quoi lui répondre? Aborder tout de suite la question qui nous chicotait peut-être tous les deux, faire comprendre qu'on ne pouvait pas aller chez moi, mais que si c'était possible d'aller chez lui...

Est-ce que j'avais envie d'aller chez lui?

(Branche-toi! C'est au bord de marcher, là!)

«Ben oui, hein, faudrait sortir d'ici...»

(C'est pas une réponse, ça! Y va te prendre pour un épais! Tu l'es, mais c'est pas nécessaire qu'y s'en rende compte tu-suite!)

François et son nain venaient maintenant vers nous; je me serais sauvé en courant, tirant Alan derrière moi: je ne voulais toujours pas que mes deux flirts de la soirée se rencontrent.

Les présentations faites — le nain s'appelait Carmen, il était peintre et je l'imaginai immédiatement en train de peindre des danseuses de cancan et des devantures de Moulin-Rouge —, François nous dit qu'ils s'en allaient tous les deux au Tropical rencontrer la Monroe, un ami de Carmen, un des gars les plus drôles de la métropole.

«Le Tropical reste ouvert après les heures pis j'ai pas du tout envie de rentrer chez moi tout de suite... Y paraît qu'y ont préparé un petit numéro pour les habitués... Carmen peut nous faire rentrer, mais y faudrait se dépêcher parce qu'y font semblant de fermer les portes pour pas se faire déranger par la police...»

Ne regardait-il pas Alan avec trop d'insistance en disant ça? Son invitation ne s'adressait-elle pas plus à lui qu'à moi, d'ailleurs? Ou était-ce ma jalousie toute neuve qui faisait encore des siennes... Pourquoi m'avait-il traîné avec lui jusque-là si c'était dans le but de me laisser tomber pour un peintre nain qui parlait avec un accent espagnol probablement faux? Pour tester l'ascendant qu'il devinait avoir sur moi? Était-il de ceux-là qui ne supportent pas qu'on leur résiste et qui se désintéressent de nous dès qu'on cède à leurs désirs? Plus important encore: les artistes que j'admirais étaient-ils tous aussi différents dans la vie que dans leurs œuvres? François Villeneuve ne ressemblait pas du tout à ses chansons, c'était ça, je crois, qui me faisait le plus de peine. J'avais cru trouver chez lui la même sensibilité que dans ses chansons, comme je croyais sincèrement que Jean-Pierre Ferland était malheureux quand il le chantait, que Claude Léveillée avait un frère qui s'appelait Frédéric, que Clémence Desrochers avait souffert du sadisme des religieuses, que Jacques Brel se complaisait dans le malheur le plus noir et que Léo Ferré vivait honnêtement et complètement l'anarchie qu'il chantait si bien. Avais-je tort dans la grande naïveté de mes dix-huit ans; n'étaient-ils enfin de compte qu'une bande de François Villeneuve qui avaient réussi et vivaient-ils un quotidien d'enfants gâtés qu'on ne retrouvait pas sur leurs disques? Et que deviendrait François, quel genre de monstre insupportable, quand lui viendrait le vrai succès? Se servirait-il des gens de son entourage comme il le faisait avec moi ce soir-là, pour arriver à ses fins, en se moquant du reste et de tous et en ne pensant qu'à lui-même?

Un silence était tombé entre nous quatre. Toutes les lumières du bar étaient maintenant allumées, plus aucun leurre n'était possible entre qui que ce soit et les derniers retardataires étaient soit trop saouls pour s'en aller, soit trop laids pour s'accrocher à leurs illusions.

Les trois autres me regardaient. Ils semblaient attendre une réponse.

«Excusez-moi, j'étais dans la lune...

— Ça te tente-tu ou si ça te tente pas?»

Aucune impatience dans cette question de François, il voulait seulement savoir si j'avais envie d'aller au Tropical. Je pris mon courage à deux mains, mis le plus de sous-entendu possible dans mon regard pour demander à Alan:

«Toi, ça te tente-tu?»

Beaucoup de choses se produisirent pendant les courtes secondes de réflexion que prit Alan avant de me répondre: d'abord, la fausse Carmen donna à François un coup de coude qui l'atteignit à peine plus haut que le genou, genre j'espère qu'y va dire oui, j'le trouve cute, ensuite François lui-même me fit de grands yeux appréciateurs qui semblaient se réjouir de ma bonne fortune; et le barman agita une dernière fois sa maudite cloche de petite école en hurlant:

«Tous ceux qui sont pas par deux, ça sert à rien de rêver, vous le serez pas plus dans deux heures, ça fait que faites donc comme moi, allez donc vous coucher!»

Mon tavelé parla enfin:

«Pôrquoi pas... Ça pourrait être intéressante...»

J'aurais bien sûr préféré (c'était la troisième ou quatrième fois de la soirée) qu'Alan refuse et qu'il m'enlève pour me transporter dans son château d'Outremont ou de Westmount, mais mes fantasmagories commençaient à en prendre sérieusement sur la gueule et je ne fus pas trop déçu de sa réponse.

Sauf que je n'avais toujours pas d'argent.

Même pas pour me payer une bière (ou un Coke) au Tropical.

J'allais donc les laisser à l'intersection de Sainte-Catherine et de Stanley pour essayer de rentrer chez moi en faisant du pouce. Mon genou gauche ne pourrait pas supporter tout le chemin qui me séparait du Plateau Mont-Royal, il faudrait donc, comme Blanche Dubois dans *A Streetcar Named Desire*, que je me fie à la gentillesse des étrangers. Mais ça signifiait aussi que j'allais laisser Alan et François seuls avec la fausse Carmen et le projet de se rendre au Tropical... Un découragement aigu mêlé de fatigue physique me fit tituber dans le froid encore plus vif, plus humide, de la rue Stanley.

François devait lire dans mes pensées parce qu'il me dit en me prenant par le bras pendant que nous nous dirigions vers la rue Sainte-Catherine :

« Tiens, v'là un dix, tu me le remettras... »

C'était une somme énorme, plus de deux fois ce que j'avais payé pour assister à *Roméo et Juliette*.

« Pourquoi tu fais ça... On se reverra peut-être jamais !

— Quequ'chose me dit le contraire... Sans ton os de veau, t'aurais l'air directement sorti de la clientèle du El. Tu vas y prendre goût, on va te revoir, chus pas inquiet pour deux cennes... Tu me le remettras quand tu pourras. Pis bonne chance avec Alan... »

C'était la première fois que je rencontrais quelqu'un que je n'arrivais pas à saisir à ce point-là. Il était comme une coulée de mercure, à la fois fuyant et pesant, parfois très présent à ce qui se passait puis soudainement absent, impossible à suivre, à comprendre surtout. Il me plongeait dans une situation pénible par pur plaisir, du moins j'en étais convaincu — il devait bien se douter qu'il me plaisait ! —, avant de venir ensuite à ma rescousse avec une générosité pour le moins étonnante. *Mais où voulait-il donc en venir ?* S'était-il pris d'affection pour moi comme pour un petit animal familier qui fait un peu pitié et qu'on console avec des nénannes, en se donnant l'illusion qu'on est généreux ? C'était trop de questions dans une seule soirée, je commençais à penser que j'aurais dû rester chez moi, écouter le troisième acte de *La Bohème* avec Victoria de Los Angeles ou le deuxième de *Tosca* avec la Callas.

La rêverie était moins cauchemardesque que la vie parce qu'on en avait le contrôle, je l'avais toujours su. Mais je n'avais jamais encore eu l'occasion de le vérifier...

J'empochai les dix dollars.

«Merci, mais j'vas plutôt en profiter pour rentrer à la maison. Chus fatigué, mon genou me fait mal...

— Y'en est pas question, j'te prête c't'argent-là pour que tu viennes avec nous autres, pas pour que t'ailles te coucher!

— Tu me prêtes c't'argent-là, point. J'peux en faire c'que je veux, y'est pus à toi!»

Alan et Carmen nous suivaient à quelques pas et je n'osais imaginer de quoi ils pouvaient avoir l'air, le premier si long et l'autre si court. L'ex-Perrette croyait-il que nous étions ensemble, François et moi, qu'il nous surprenait au milieu d'une querelle d'amoureux? Se faisait-il bassement cruiser par le Borduas des pauvres? Allait-il tout simplement nous lâcher au prochain coin de rue pour rentrer chez lui, furieux lui aussi d'avoir perdu son temps avec moi? J'étais de plus en plus épuisé et tout abandonner là, sur le trottoir gelé, comme un tas de linge sale qu'on n'a pas le courage de laver, me semblait la seule solution envisageable.

«C'est la première fois que tu te décides à sortir, hein? T'avais jamais fréquenté le milieu avant ce soir?»

Je n'allais tout de même pas lui laisser l'illusion qu'il était un grand psychologue...

«C'est pas difficile à deviner, j'fais toute tout croche!»

François sourit et je réalisai qu'il me tenait par le bras. Une heure plus tôt, j'aurais tout donné pour un moment comme celui-ci, mon âme à condamner, mon corps à consumer. Mais cet attouchement était plus amical qu'intime et ne brassait absolument rien dans mes intérieurs. Nous en étions déjà là! C'était si facile? Non, je savais que si je regardais son beau profil, sa tête d'artiste calculée au millimètre près, construite d'après des portraits de Rimbaud ou d'autres beaux poètes — voilà que je doutais même de l'authenticité de sa beauté —, l'envie de le prendre dans mes bras, qu'il me prenne, lui, dans ses bras, me sauterait dessus à nouveau et je me retrouverais une fois de plus à mon point de départ, plein d'espoir et pourtant convaincu d'avance d'une défaite cuisante et définitive.

Et si je tournais la tête vers Alan, le même besoin, *exactement* le même besoin me prendrait-il, étais-je déjà une girouette en quête de n'importe quoi pourvu que ça donne des frissons, que ça procure un plaisir, que ça soulage? Étais-je en quête d'amour comme je l'avais cru ou simplement d'un violent spasme qui me coûterait juste ma virginité, le premier d'une longue série qui durerait toute ma vie sans jamais me satisfaire?

«Chus même pas sûr que t'as l'âge...

— L'âge de quoi?

— ... de sortir dans les bars.

— J'ai dix-huit ans.

— C'est ça, t'as pas l'âge. Ça prend vingt et un ans.»

(Bon, v'là autre chose! Chus un hors-la-loi maintenant!)

«Pis j'ai pas l'air de vingt et un ans?

— T'as l'air d'en avoir seize!

— Si c'est un compliment, merci.

— T'as l'air choqué que je te dise ça!

— Chus pas choqué...

— C'est vrai, j'me rappelle, à ton âge j'voulais plus avoir l'air vieux que jeune... Tu vas voir, ça va changer vite.

— Quel âge que t'as? Un gros vingt-deux?

140

— Un gros vingt-trois pis j'donnerais tout c'que j'ai, même si c'est pas grand-chose, pour avoir le tien...

— As-tu quequ'chose à te faire pardonner que tu voudrais recommencer?

— Recommencer?

— J'voulais dire réparer. As-tu quequ'chose à réparer?

— Non. Mais j'ai gaspillé du temps qui est perdu pour toujours pis que j'aimerais reprendre...

— Tu parles comme un p'tit vieux... »

Il me serrait le bras un peu plus fort et sa voix descendit d'un ton, comme si une confidence d'une grande importance allait suivre.

« *Chus* un p'tit vieux. »

Mais ce fut tout et le moment passa sans que ni l'un ni l'autre nous en profitions pleinement. Quelques pas sur la glace, une ou deux respirations, puis il fut trop tard. Nous étions tous les deux passés à côté d'une chose importante, je le savais, mais était-ce la pudeur ou la fatigue, nous avions laissé fuir l'occasion à saisir et le silence était retombé dans la rue Stanley en faisant un petit bruit mou de défaite.

Les deux autres nous avaient rejoints. Alan semblait s'embêter au-delà de toute endurance humaine et je regrettai de l'avoir abandonné (et j'aurais probablement regretté d'avoir abandonné François si j'avais fait le chemin avec Alan).

Dans le malaise général — Carmen musardait en regardant de l'autre côté de la rue, Alan semblait vouloir héler un taxi —, François planta ses yeux bien droit dans les miens.

« Tu peux pas finir ta première soirée en ville sans passer par le Tropical... »

Et la confidence que j'attendais de lui vint de moi. J'avais à peine conscience de parler, les mots sortaient de ma bouche sans que je les appelle ; la phrase fut courte, claire, remplie de cette naïveté enfantine qui ne m'avait pas encore quitté parce que je n'avais pas encore vécu :

« J'voulais pas passer par le Tropical, j'voulais tomber en amour ! »

C'était faux : j'avais voulu les deux. Ce premier demi-mensonge gonfla ma poitrine de confusion. J'avais été totalement sincère en racontant un mensonge ! J'aurais pleuré de honte.

J'avais presque posé mon front sur le sien ; nous devions avoir l'air de vouloir nous embrasser. (Moi, je l'aurais embrassé à ce moment-là, je l'aurais épousé et j'aurais été éternellement heureux avec lui pendant dix longues secondes !) Lui avait posé sa main sur mon épaule.

« Fais-toi-z'en pas, ça nous arrive à tous. Moi, ça m'arrive tous les soirs ! Pis depuis pas mal longtemps ! »

Si je pouvais prétendre avoir vu s'envoler mes illusions une fois dans ma vie, ce serait cette fois-là. Elles firent un froufroutement d'ailes en montant dans le ciel nocturne de Montréal gelée et je leur fis un adieu muet en fermant les yeux.

« Qu'est-ce qu'on fait ? On y va-tu ou si on y va pas ? »

Le petit homme avait en plus une voix désagréable.

« Je crois que je vais rentrer chez moi... »

Le bel accent d'Alan faisait plaisir à entendre. Je me laissai bien sûr aller à rêver que je l'écoutais pour le reste de mes jours ; j'avais conscience de l'absurdité de cette courte rêverie, surtout dans la situation dans laquelle je me trouvais, mais le cynisme, cette porte de sortie si facile quand on a raté quelque chose, s'imposa de lui-même et j'en fus soulagé. Je choisis à ce moment-là le cynisme et la dérision comme les deux pôles de mon existence, mais je ne les développai vraiment que beaucoup plus tard parce qu'ils ne viennent qu'avec l'expérience.

François nous prit par le bras, Alan et moi — il aurait été obligé de s'accroupir pour faire la même chose avec Carmen —, et lança très fort dans la circulation déjà plus faible de la rue Sainte-Catherine :

« Personne rentre chez soi ; tout le monde s'en va au Tropical ! »

*

La rue Sainte-Catherine se trouvait désormais complètement vide. Quelques badauds attardés se dirigeaient en glissant vers leurs voitures stationnées dans les rues transversales, d'autres hélaient des taxis déjà occupés par des fêtards à la tête dodelinante qui rentraient chez eux après leurs excès hebdomadaires, repus d'alcool mais sexuellement frustrés s'ils n'avaient pas pogné.

Le froid dut raviver mes esprits parce que je pris soudain conscience, avec une certaine inquiétude, que je me retrouvais au beau milieu de la nuit dans un quartier que je ne connaissais pas en compagnie de trois personnes dont j'ignorais encore l'existence quelques heures plus tôt.

Moi, le fidèle en amitié, l'éternel inquiet qui avait toujours peur que ses amis finissent par le trouver ennuyant et l'abandonnent lâchement à son sort parce qu'il ne les intéressait plus, j'aperçus ma silhouette dans une vitrine de la rue Sainte-Catherine au bras de deux gars avec qui j'espérais faire alternativement l'amour, précédée d'un presque nain qui semblait montrer le chemin de l'enfer comme dans un film de Bergman ou de Fellini — j'avais vu *Le Septième Sceau* et *Les Nuits de Cabiria* qui étaient devenus les deux films de ma vie —, alors que tous mes amis dormaient déjà depuis longtemps dans leurs draps d'adolescents sans histoire. C'est moi qui les avais lâchés un samedi soir — étaient-ils allés au cinéma; avaient-ils regardé un film à la télévision; avaient-ils joué au neuf ou à la Dame de Pique; étaient-ils sortis vers neuf heures pour manger une petate frite à La Poupette, sur la rue Mont-Royal? — et un embryon de culpabilité se tordit dans ma poitrine pourtant déjà écrasée par tout ce qui s'était passé depuis *Roméo et Juliette*: si j'étais resté avec eux, j'aurais connu un petit samedi soir ordinaire sans heurts et sans excitation, en compagnie de mes *vrais amis*; je me serais couché tôt après avoir modérément ri et m'être modérément fait chier et je ferais déjà depuis des heures des rêves normaux d'être normal à qui rien n'est arrivé et qui a l'âme en paix.

Je n'avais pas l'âme en paix.

Plus tôt, j'avais pensé à Candide et à son tour du monde cahotique, j'en étais maintenant à Pinocchio suivant aveuglément le renard et le chien sans scrupules, qui allaient le vendre à un propriétaire de cirque où il deviendrait une marionnette à fils — encore ma balbutiante culture cinématographique, Walt Disney cette fois. Je souriais intérieurement de ma frayeur, mais j'avais tout de même *vraiment* peur de me retrouver dans une situation sans issue dont je n'arriverais plus à me sortir: un bar homosexuel *fermé*, mais resté ouvert pour les habitués et tout ce que ça impliquait, était pour moi difficile à imaginer, fascinant en même temps qu'inquiétant. J'étais attiré, c'est vrai, par ce qui m'attendait rue Peel dans cet antre du vice réputé pour ses excès de toutes sortes — sexe, alcool et même drogue! Je culpabilisais aussi d'avance de ce que j'allais y trouver, que je risquais de trop apprécier et dont, qui sait, je n'arriverais peut-être plus à me passer (mon sens du mélodrame, hérité de ma mère, n'était jamais très loin et ne demandait pas mieux que de se manifester en tout lieu et en toute circonstance).

Je me rendis compte aussi, à force de suivre dans les différentes vitrines de la rue Sainte-Catherine l'étrange quatuor que nous formions, qu'Alan me regardait beaucoup à la dérobée. J'en fus vivement flatté.

Vivait-il pour moi ce que je ressentais moi-même pour François depuis que je l'avais aperçu sur la scène du Her Majesty's? Rêvait-il lui aussi de perdre sa virginité dans mes bras ou, qui sait, de me faire perdre la mienne parce que j'avais sûrement le mot «vierge» écrit partout dans le visage? Ou alors — quelle horreur! — se servait-il tout simplement de moi pour arriver à François? Et — mon dieu, je n'y avais pas encore pensé —, l'avait-il seulement reconnu? (J'étais épuisé, tanné de me poser depuis le début de la soirée des questions auxquelles je ne pouvais pas répondre mais, incapable de m'en empêcher, j'étais devenu une véritable machine à questions.) J'avais eu peur qu'ils se connaissent, j'avais eu peur qu'ils se rencontrent et voilà que j'avais même peur qu'Alan ait reconnu François, ce qui, de toute façon, aurait été tout à fait normal!

Je voulus en avoir le cœur net et m'adressai à Alan comme si de rien n'était:

«François était figurant dans *Roméo et Juliette*, ce soir; l'as-tu reconnu?»

François, insulté, ne laissa pas à Alan le temps de répondre:

«J'étais pas figurant, je faisais vraiment semblant de chanter!»

Je ris méchamment et décidai de profiter de son lapsus pour briller aux yeux d'Alan:

« Ça veut dire quoi, ça, *vraiment* faire semblant de chanter ? Tu faisais semblant ou tu faisais pas semblant ? T'étais chanteur ou bien figurant ?

— J'faisais semblant, mais j'étais plus qu'un figurant. Les figurants avaient pas eu de répétitions, on leur avait juste dit quel costume mettre, où aller et quoi faire alors que moi j'avais eu deux répétitions, j'avais appris quelques scènes avec le chef des chœurs, je mimais les paroles, je savais ce qui se passait, qui était mon personnage, un ami de Roméo, peut-être même un ami *intime* si vous voyez ce que je veux dire, pis pourquoi y chantait ce qu'y chantait ! Vous les entendiez pas de la salle, mais les vrais figurants étaient souvent paniqués pis y'arrêtaient pas de dire : « Qu'est-ce que je fais, oùsque j'm'en vas », dans au moins quatre langues !

— Étais-tu mieux payé qu'eux autres, au moins ? »

François aussi pouvait être vache et le prouva illico (comme on aurait dit dans *Tintin*) :

« Si j'avais pas été mieux payé qu'eux autres, y'a quelqu'un qui aurait pas les moyens d'aller au Tropical cette nuit ! »

Je ravalai ma méchanceté avec un drôle de bruit, comme si j'allais m'étouffer avec ma salive. Alan, qui n'avait pas du tout compris ce qui venait de se dire parce que François et moi parlions trop vite ou parce qu'il ne nous avait tout simplement pas écoutés, se contenta de répondre à la question que je lui avais posée :

« Oui, je l'ai reconnyu. Il était très beau avec ses collants de la Rénaissance... »

(T'as voulu le savoir, ben souffre maintenant !)

François ne rougit même pas, probablement accoutumé aux compliments qu'il prenait pour acquis.

Carmen s'était tourné vers nous.

«J'aurais aimé ça assister à c't'opéra-là, mais François m'avait défendu d'aller le voir...»

François sourit (encore ce sourire qui donnait envie de se mettre à genoux).

«J'avais pas le goût que tu te mettes à dire des niaiseries au beau milieu de la scène de bal ou pendant que j'me forçais le cul à prétendre que j'avais de la peine de la mort de Mercutio, alors que j'avais juste envie de me tordre de rire! Ou pendant que Pierrette Alarie se plantait le faux poignard dans la poitrine!»

Lorsque je vis Alan rire de bon cœur, je compris qu'il était inutile de lutter contre la maudite jalousie qui me torturait chaque fois que François marquait un point et je me laissai aller une fois de plus à les détester tous les deux.

Carmen étira sa petite taille — le faux James Dean portait des bottines de fille avec des talons aiguilles, il était encore plus petit qu'il ne le paraissait, c'était donc un vrai nain! — et déclara solennellement en nous montrant un bâtiment de la rue Peel, au nord de Sainte-Catherine, qui avait pourtant l'air de rien:

«Messieurs, le pandémonium, capitale de l'enfer!»

*

L'escalier était étroit et sentait le parfum de dernière catégorie. Beaucoup. Des hommes fleurant bon et fort avaient dû patienter pendant des heures dans ces marches de bois polies par le va-et-vient de générations de Montréalais qui se présentaient seuls dans la capitale de l'enfer avec l'espoir d'en sortir accompagnés. D'innombrables cœurs gonflés d'espérance avaient grimpé cet escalier et un nombre presque égal de baudruches dégonflées l'avaient redescendu: sous le parfum sucré dominant flottait la senteur plus suspecte de la déception et de la rancœur.

Un portier nous attendait en haut des marches. C'était le premier que je croisais et je me serais attendu à un taupin un peu brute sur les bords, avec une voix cassée par l'alcool et l'abus de tabac plutôt qu'à cet éphèbe blond en manteau de chat sauvage. Il reçut Carmen avec des cris de joie de porc qu'on assassine et une voix zozotante bien peu naturelle.

Pendant les effusions qui semblaient vouloir durer jusqu'au matin et même jusqu'à la grand-messe de dix heures, François, Alan et moi étions restés derrière, le chanteur levant les yeux au plafond d'impatience, le rouquin et moi nous regardant avec cet air quelque peu affolé des néophytes qui ne savent pas encore dans quoi ils se sont embarqués et qui aimeraient bien s'enfuir s'il n'était pas déjà trop tard.

Carmen nous présenta Manon — décidément, l'opéra me poursuivait jusque dans mes derniers retranchements! — et celle-ci, ou celui-ci, en tout cas ladite personne nous tendit, à Alan et à moi, une main étonnamment ferme, métier oblige, en déclarant sur un ton très peu convaincu que les amis de Carmen étaient ses amis et que nous étions les bienvenus si nous voulions nous joindre à la «famille».

La famille?

Manon faisait comme s'il ne connaissait pas François, évitant ostensiblement son regard et sa main tendue. C'était gros, évident et un peu gênant. Une histoire qui avait mal tourné? Un désir avoué auquel l'un, sûrement François, avait refusé de se soumettre? François avait accroché à ses lèvres quelque chose qui ressemblait plus à un ricanement qu'à un sourire, c'est peut-être ça qui insultait tant le portier.

Alan se pencha vers moi en posant une main sur mon avant-bras.

«Es-tyu déjà venyu ici, toi?

— Non, toi?

— Non. Et je ne souis pas syure de vôloir rentrer...»

Ce fut à mon tour de m'accrocher à lui.

«Laisse-moi pas tomber! J'sais pas ce qui m'attend là-dedans pis ça me fait un peu peur!»

De Pinocchio je venais de passer à Hansel et Gretel découvrant la maison en sucre candi de la méchante sorcière... Qui sait, au milieu du pandémonium se trouvaient peut-être une cage pour les petits enfants et un four pour les apprêter façon Tropical. J'allais peut-être sortir de là avec la nostalgie de mon innocence...

Et c'est alors que François posa un geste des plus étonnants. Juste avant que nous passions la porte, pendant que les deux autres disparaissaient dans le bar, il me poussa sa guitare dans les bras.

«Veux-tu tenir ça pour moi, s'il vous plaît?

— Pourquoi tu me demandes ça?

— Laisse faire! J'aimerais ça que t'en prennes soin pendant qu'on va être là-dedans...

— Es-tu fou? Qu'est-ce que tu veux que je fasse avec ça! J'sais même pas comment on tient ça, une guitare!

— C't'un service que j'te demande!

— Tu la mettras au vestiaire!

— Y'en n'a pas!

— Tu la laisseras dans un coin!

— J'la retrouverai jamais!

— 'Coudonc, m'as-tu traîné jusqu'ici juste pour que je tienne ta maudite guitare! Chus pas à ton service! À part de ça, t'es capable de la transporter tout seul!

— Y savent pas que chus chanteur...

— Quoi?

— J'leur ai jamais dit... Pis ça serait peut-être pas bien vu...

— Comment ça, ça serait peut-être pas bien vu! C'te monde-là ont jamais vu une guitare?

— Oui, mais y'ont plutôt tendance à mépriser les chansonniers...»

J'étais tellement choqué que les mots sortaient tout croche de ma bouche, comme ma mère quand je dépassais les bornes et qu'elle se mettait à déparler.

«Tu... T'as le plus grand talent de chansonnier que j'ai jamais vu... pis... pis tu... tu fréquentes... tu fréquentes du monde qui aiment pas ça! Mais... t'es ben fou! Pourquoi tu restes pas avec ta... avec tes amis du El Cortijo?»

Le beau visage de François était maintenant tout près du mien; je pouvais lire dans ses yeux la réponse qui venait et que je ne voulais pas entendre:

«Quand tu vas connaître le Tropical, tu vas comprendre... J'peux pas me passer de ce qui se passe là-dedans, pis j'fais pas encore partie de la famille... Si je veux me faire accepter par eux, y faut que j'agisse comme eux...»

Lui aussi était donc désespéré de se faire accepter par un groupe!

Carmen avait passé la tête dans la porte, son joli visage souriait ironiquement.

«Aïe, les amoureux, si vous voulez vous embrasser, v'nez donc en dedans, y fait moins froid!»

*

L'intérieur du Tropical n'était pas sans rappeler celui des Quatre Coins du Monde ou, je le supposais, celui de toutes les boîtes du même genre à travers le monde — un bar, des tables, de la fumée et de la vapeur d'alcool — mais sa clientèle était moins discrète que celle de l'établissement de la rue Stanley, et l'atmosphère plus ludique. Les jeux qu'on y pratiquait, cependant, étaient très différents, du genre défendu, du jamais vu pour moi en tout cas, qui ouvrais de grands yeux presque scandalisés devant le spectacle des couples d'hommes et de femmes qui dansaient enlacés, passionnés au-delà de toute décence, pendant que la drague sauvage faisait rage autour de la piste encombrée.

À l'autre bar, tout s'était fait en catimini, dans la honte et la discrétion, sauf pendant les ultimes moments du *last call* où les dernières barrières s'étaient écroulées dans l'énergie du désespoir ; ici, les couples se formaient et se défaisaient avec un sans-gêne qui ravissait le libertin que je voulais devenir tout en choquant le judéo-chrétien que j'étais encore.

C'était ça aussi que j'étais venu chercher, bien sûr, et je l'avais trouvé après bien des pérégrinations, mais je n'étais plus tout à fait sûr d'être prêt à le prendre, comme un dessert trop riche après un repas copieux. Et la peur de la déception se mêlait à l'excitation d'être enfin arrivé à destination. Si tout ça, en fin de compte, était aussi ennuyant que le reste ? Mon retour aux malheurs de *Manon Lescaut* ou de la *Cenerentola* n'en serait que plus précipité et probablement définitif...

Je me retrouvais évidemment avec la guitare de François entre les bras. Cette fois, il me l'avait confiée sans me demander mon avis, avant de disparaître en compagnie de son nain familier qui se vantait de pouvoir le présenter à la Monroe — probablement un travesti un peu trop gras qui venait de voir *Some Like It Hot* et qui se disait que si Marilyn pouvait supporter quelques livres de trop, lui aussi — qu'il avait vue se diriger discrètement vers les coulisses avec des airs de conspirateur.

Les premiers travestis de ma vie s'étaient trémoussés sous mes yeux pendant dix bonnes minutes avant que je me rende compte que c'étaient des hommes. Ils avaient papoté, dansé, flirté sans que je me doute de quoi que ce soit; Alan non plus, d'ailleurs, plus naïf que moi si la chose était possible. Il sirotait une bière — j'avais refusé celle qu'il m'avait offerte et je me retrouvais avec un Seven Up flat et chaudasse — en se demandant comme moi ce que toutes ces femmes pouvaient bien faire dans un bar homosexuel...

C'étaient les voix pas toujours très féminines de ces beautés fabriquées à coups de truelle et de grands sacrifices qui avaient fini par me mettre la puce à l'oreille... J'étais tellement éberlué que je me rendis compte juste à temps que je serrais la guitare trop fort et que je risquais de la casser si je n'étais pas plus prudent. J'avais vu Guilda à la télévision comme tout le monde et je la trouvais très belle et très bonne mais j'ignorais qu'on pouvait se déguiser comme ça dans la vie, juste pour le plaisir, le samedi soir, pour sortir danser en ville! Quelle drôle d'idée!

À cause de la maudite guitare qui entravait mes mouvements et probablement aussi parce qu'Alan et moi les reluquions trop pour leur goût, j'avais fini par essuyer quelques moqueries qui s'étaient heureusement vite dissipées en simples vacheries entre copines:

«Mon dieu, les filles, Félix Junior est venu chercher son inspiration jusque sous nos jupes! Y va composer *Moi, mes souliers à talons hauts!*

— Fais-toi-z'en pas, chère, c'est pas l'inspiration qu'y cherche, *l'artisse*, c'est la transpiration!»

J'étais rouge comme une pivoine et je maudissais François qui me faisait passer pour ce que je n'étais pas pendant que lui s'amusait avec une Marilyn hommasse et une Carmen déguisée en James Dean.

« Pas de danger que Marc Gélinas ou ben Hervé Brousseau se dérangent en personne, y nous envoyent juste leurs craquias ! »

Cette fois, je blêmissais de rage en rêvant d'arracher la perruque à l'insolente qui me traitait de craquias ; je n'étais peut-être pas très beau, mais je n'étais certainement pas un craquias !

« Pourquoi y se dérangeraient ! On les intéresse pas ! Y sont plus straights que mon propre père !

— Justement, Veronika, j'ai vu ton père dans les toilettes de la Gare centrale, l'aut' soir ! Depuis quand les straights dansent le limbo entre les cabines des toilettes publiques, donc ? »

(Hein, son père aussi ? Ça se peut pas !)

« Ouan ? ben moi j'ai vu le tien à' porte de la taverne Normand, sur Mont-Royal, après-midi... C'est ben plus triste parce que c'est vrai ! »

(Ah ! C'tait une farce ! Y y vont pas de main morte !)

Quoique très instructif, mon premier contact avec les travestis était donc loin d'être un triomphe...

« Viens-tyu danser ? »

J'avais sursauté parce que la bouche d'Alan avait été trop près de mon oreille et qu'il s'était cru obligé de hurler.

« Avec la guitare ? On va avoir l'air de deux fous !

— Laisse faire la guitare...

— J'peux pas... Si tu te souviens bien, a' m'a été confiée par le génie du El Cortijo...

— Le génie du quoi ?

— Laisse faire, ça serait trop long à t'expliquer... »

Puis je réalisai qu'il m'avait invité à danser. Un gars m'avait invité à danser ! Un gars que je trouvais beau depuis que je l'avais aperçu près d'une semaine plus tôt au guichet du Her Majesty's et au sujet duquel je m'étais laissé aller à me complaire dans des rêves bien peu catholiques, m'invitait à me jeter dans ses bras au beau milieu d'une foule sûrement habituée à pire. Mais tout de même, ce n'était pas rien! Et j'étais obligé de refuser à cause de l'instrument de musique d'un deuxième gars qui se moquait visiblement de moi et que j'avais le goût d'étrangler quand je n'avais pas envie de me jeter sur lui pour le soumettre à mes désirs les plus fous (eh oui, l'esprit d'escalier encore, l'humour, la dérision pour éviter une déception trop vive)!

«Ça te tente pas?»

Mes yeux plantés bien droit dans les siens et un ton plus près de la supplication que du simple désir de fournir une explication:

«Oui, ça me tente... ça me tente beaucoup, mais comprends-moi, j'ai promis à François de veiller sur sa guitare...»

Soudain, l'objet de mon ressentiment n'était plus entre mes bras; Alan déposait la guitare contre le mur, derrière une chaise inoccupée *et je m'en foutais!* Tant et aussi longtemps que je l'avais tenue, elle avait été sacrée, mais maintenant que quelqu'un d'autre que moi avait pris l'initiative de m'en débarrasser, elle pouvait se faire voler, se faire détruire en mille miettes, se faire découper en lamelles et réduire en confettis, ça m'était complètement égal!

Alan revenait vers moi en souriant et je pris conscience du genre de musique qui venait de commencer.

Un slow, bien sûr; il avait bien choisi son moment.

Mais comment faisait-on ça entre nous, entre gars; est-ce que quelqu'un conduisait, et qui?

Fallait-il en discuter, décider à toute vitesse avant que la musique finisse, tirer au sort?

J'allai déposer mon manteau sur le dossier de la chaise de façon à ce qu'il dissimule à peu près la guitare. Si jamais celle-ci disparaissait, ma dette de dix dollars en serait décuplée et je n'avais pas envie d'aller mendier dans les rues de Montréal en plein hiver pour rembourser François.

Rendu au milieu de la piste de danse, Alan me prit tout simplement dans ses bras et je me laissai aller. Totalement. Il me tenait par la taille et je mis automatiquement mes bras autour de son cou, comme si j'avais fait ça toute ma vie.

(Laisse-toi pas aller au sentimentalisme gluant, sors ton sens du ridicule avant de sombrer dans le mielleux! Ta yeule! Profite du moment! Y reviendra jamais! Ça sera pus jamais la première fois!)

L'abandon physique total était une chose que j'ignorais jusque-là. Je m'étais des centaines de fois abandonné à ce que les autres produisaient, aux œuvres géniales d'artistes que j'adulais mais tout ça s'était fait à travers mes yeux, mes oreilles, c'était surtout par les yeux et les oreilles que je m'étais laissé aller au plaisir (le duo Leonie Rysanek-George London au deuxième acte du *Vaisseau fantôme*, la symphonie des fromages du *Ventre de Paris*, la traversée de la Bérésina de *Guerre et Paix*, la mort de Didon, Matisse et Vermeer au grand complet) mais pour la première fois de mon existence mes cinq sens participaient à une jouissance et je rêvais que je restais là, dans les bras d'Alan, pour le restant de mes jours, à les compter l'un après l'autre et en les appréciant, individuellement ou en groupe.

Mes yeux regardaient les poils follets roux à la naissance de son cou, ma langue goûtait la laine piquante de sa veste, mes doigts osaient se promener dans ses cheveux, j'écoutais sa respiration

— j'étais convaincu d'entendre son cœur battre —, et mon nez avait trouvé tout naturellement son aisselle gauche. Dieu que ça sentait bon! La sueur rousse et piquante m'emplissait les narines et j'en prenais de grandes goulées chavirantes. Comment une chose si désagréable en toute autre circonstance pouvait-elle devenir si merveilleuse? J'aurais bu son aisselle!

Et, couronnement normal de l'événement, deux magnifiques érections se rencontraient à travers nos pantalons.

Si j'avais été le seul de nous deux dans cet état d'excitation, je crois que je serais mort de honte; mais la preuve irréfutable qu'Alan se trouvait dans les mêmes dispositions que moi me rassurait et j'appréciais grandement ce moment unique, je le savourais en espérant qu'il s'étire le plus longtemps possible (les slows avaient la réputation d'être toujours trop courts, c'est du moins ce que prétendaient ceux d'entre mes amis qui les pratiquaient déjà).

Le morceau terminé — trop vite, effectivement —, nous restâmes enlacés pendant que les autres couples se dispersaient. Que faire? Attendre que ça se passe? Mais ces choses-là ne se commandent pas, surtout pour des jeunes hommes excitables qui vivent leur première aventure sérieuse (c'était du moins mon cas). Si nous nous étions séparés en même temps que les autres couples nous aurions probablement réussi à passer inaperçus, mais il était trop tard, nous étions les seuls encore en piste et j'étais convaincu que tous les regards étaient rivés sur nous parce que tout le monde savait!

Je n'avais pas tout à fait tort: un travesti qui avait dû nous regarder évoluer et qui devinait maintenant notre embarras résuma en quelques mots et dans un grand haussement d'épaules digne des pires maniérismes hollywoodiens — Bette

Davis ou Joan Crawford n'étaient jamais bien loin dans la hiérarchie des imitations — la situation extrêmement gênante dans laquelle nous nous étions fourvoyés, Alan et moi :

«Encore des tits-culs trop jeunes qui ont de la misère à contrôler leurs tits manches trop verts!»

Comment, en effet, affronter les autres danseurs dans l'état où nous nous trouvions? Je commençais à regretter mon paletot d'hiver, mais n'aurais-je pas eu l'air encore plus fou si j'avais dansé avec mon gros manteau sur le dos?

Une musique un peu plus rythmée venait de commencer, un vestige de l'époque pas si lointaine, dans les années cinquante, où le mambo et le cha-cha-cha faisaient des ravages en Amérique du Nord, les autres danseurs gigotaient sur la piste comme à un concours de danse sociale, mais Alan et moi restions imbriqués l'un dans l'autre, sans plus bouger, noyés dans notre inextricable malaise. J'espérais au moins que nous avions l'air de nous aimer passionnément. Mais quelques ricanements me suggérèrent le contraire et je poussai un soupir d'exaspération que mon partenaire sentit dans son cou.

Comme d'habitude il prit les devants :

«C'est... c'est la première fois que ça m'arrive... Toi?»

Parlait-il vraiment de *ça* ou tout simplement du fait que nous venions de danser un slow collé?

Comme d'habitude, et par pure couardise, je restai évasif :

«Ouan... moi aussi.»

(Maudit épais! T'as la barre prête à éclater sur sa cuisse droite pis tu fais semblant de rien! Vas-tu rester là jusqu'à demain matin parce que tu sais très bien que tu débanderas pas avant?)

Nous devions penser exactement la même chose et nous couvrir d'injures chacun de son côté parce qu'au bout d'une trentaine de secondes qui semblèrent durer des heures nos deux têtes se redressèrent en même temps et nous dîmes en un ensemble parfait digne des plus magnifiques duos de Mozart, chacun avec notre accent, en plus, ce qui ajoutait encore à la musique :

« On peut pas rester comme ça ! Faut faire quequ'chose ! »

Un beau grand rire sain s'échappa de ma gorge, je sentis mon cœur se dénouer d'un seul coup; Alan, lui, en anglo-saxon moins habitué à garrocher son soulagement à tout venant, se contenta de produire un sourire picoté de taches de rousseur.

De concert et sans pourtant nous être concertés, nous nous séparâmes l'un de l'autre le plus simplement du monde en exhibant au vu et au su de tout le monde la preuve incontestable de notre attirance l'un pour l'autre.

Les quelques travestis que le premier avait dû prévenir de notre embarras et qui riaient de notre déconvenue en restèrent eux-mêmes cois (ne rien trouver à dire sur quelque sujet que ce soit est, chez un travesti aguerri, la preuve d'un étonnement digne d'être porté au tableau d'honneur des événements exceptionnels et une humiliation difficile à surmonter) et nous passâmes devant eux sans même mettre nos mains devant nos braguettes.

(Si une police nous voit, on va-tu finir la nuit en prison ? Tant pis ! En attendant, c'est trop le fun !)

Mais la gêne revint lorsque nous nous retrouvâmes devant la chaise où pendait mon manteau d'hiver. Devais-je pudiquement me cacher ou, chose nettement plus plaisante, jeter un cou d'œil sur la démonstration d'intérêt d'Alan tout en déployant la mienne ?

Puis je me rappelai que nous ne nous étions pas encore embrassés, probablement trop confus au milieu des événements qui se précipitaient. Je le regrettais tout en planifiant de remédier à la situation le plus tôt possible.

Goûterait-il le roux comme il sentait le roux? Ah! retrouver cette odeur dans sa bouche...

Alan se cherchait visiblement une contenance.

«J'ai soaf. Veux-tyu une autre Seven Up?

— Oui, merci... Mais c'est moi qui paye...

— No, no, c'est pas nécessaire...

— Permets-moi d'insister...

— No, no...

— Écoute! On va pas se chicaner, là! Bon!»

Cependant, avant de partir à la recherche d'un serveur avec mon billet de dix dollars en main, il me glissa à l'oreille:

«Si tyu veux que je redanse avec toi, enlève l'espèce de... de bone que tyu as dans le cou, ça m'a fait mal pendant tout le slow...»

Il fit quelques pas, revint.

«Mais enlève pas l'autre!»

*

Personne dans le courant de toute la soirée n'avait apprécié mon os de veau! J'avais voulu faire artiste, j'avais juste fait quétaine. Je le retirai avec un certain regret. Je l'aimais, moi. J'aimais l'effet qu'il faisait sur mon chandail vert, tache lunaire pâle et ronde sur la laine foncée, la légère pression qu'il exerçait sur ma poitrine, les regards étonnés qu'il provoquait (surtout ça, bien sûr). Mais — première petite concession à un amour naissant? — je ne voulais pas que sa présence contrarie Alan. Il ne m'avait pas dit qu'il le trouvait laid, c'est vrai, mais la seule idée que ce petit fragment de squelette l'avait gêné pendant qu'on dansait me le rendait moins indispensable et je le roulai bien comme il faut dans le lacet de cuir — la seule critique que je pouvais faire était que le lacet était un peu gros pour l'os qu'il aurait dû mettre en valeur alors qu'il le déguisait — avant de le glisser dans la poche de mon manteau.

Je l'essaierais à l'école, on verrait bien...

(Es-tu fou! Des plans pour te faire tuer! On te retrouverait dans le fin fond de la salle de récréation avec le lacet autour du cou pis l'os pogné dans la gorge!)

« Où est-ce que t'as mis ma guitare? »

Dans mon énervement je n'avais pas vu venir François. Son ton suspicieux me déplut souverainement.

« Je l'ai vendue à un travesti qui voulait se faire une boucle d'oreille avec! »

Le nain et l'homme fardé qui accompagnaient François rirent de bon cœur. Il s'en trouva froissé et haussa le ton :

« J't'ai pas demandé de faire des farces pour briller aux yeux de mes amis, j't'ai posé une vraie question!

— J'ai pas attendu que tu me présentes à tes amis pour briller, tu sais! J'existais avant ce soir, chus pas venu au monde quand tu m'as regardé! »

Je pris la guitare, la brandis au bout de mon bras comme il l'avait lui-même fait aux Quatre Coins du Monde en apercevant Carmen :

« Pis ta guitare, j'te dirais ben où te la mettre, mais ça te ferait mal pis tu risquerais de trop aimer ça! »

(C'est bon, ça! T'apprends! T'apprends!)

Fort du second éclat de rire que je venais de provoquer, je renchéris :

« Y me semblait que tu voulais pas qu'on te voie avec ça ici, toi! »

Il se radoucit aussitôt, pencha la tête vers moi, prit un ton de confidence...

«Tout ça a changé. Le gars qui devait faire le show de ce soir est parti sur la brosse avec la recette d'hier... Y m'ont demandé de le remplacer...

— Tout à l'heure tu voulais pas qu'y sachent que t'as une guitare pis là tu vas aller l'exhiber devant tout le monde sur la scène! Es-tu fou, tu vas te faire assassiner...

— La Monroe m'a juré que non...

— Ah, c'est ça la fameuse Monroe...

— C'est un gars *extraordinaire*... Écoute, j'vas toute expliquer ça plus tard, mais là y faut que j'aille donner mon troisième show de la soirée!

— Tu dois être épuisé!

— Pantoute! Y m'ont fourni de quoi être réveillé jusqu'à samedi prochain!»

(De la drogue en plus! Le Prince Charmant — du moins celui qui s'était présenté le premier — était un drogué!)

Alan revenait avec deux Seven Up.

Un petit sourire apparut aux lèvres de François (j'y étais déjà moins sensible, ça me rassurait...).

«Au fait, comment ça va avec ton prétendant...

— C'est pas mon prétendant...

— C'est ton prétendant pis dans deux semaines vous allez être mariés jusqu'aux yeux!»

La personne dénommée la Monroe posa une main baguée sur l'épaule de François qui se tourna aussitôt vers elle comme si je n'avais plus existé.

«Faudrait y aller, cher, avant que le monde se tannent pis qu'y sacrent leur camp... J'veux ben tenir un *blindpig*, mais faudrait aussi qu'y rapporte!»

Comme si ç'avait été là la chose la plus drôle du monde, le trait d'humour le plus génial, le nain

Carmen éclata de rire en se tapant sur la cuisse. La Monroe soupira d'exaspération.

«Carmen, arrête de rire à tout c'que je dis comme ça! On dirait que j'te paye!»

Le nain se tapa sur la cuisse de plus belle en s'écriant:

«On dirait que j'te paye! Est bonne, celle-là! Avez-vous entendu ça? On dirait que j'te paye!»

Loin du gros travesti auquel je m'étais attendu, la Monroe était un grand échalas dégingandé, un paquet d'os nerveux et même agité, mi-homme mi-femme, un hybride en fait, entre la femme en pantalon genre Barbara Stanwyck dont on s'attendait à ce qu'elle sorte un revolver de son sac à main à la moindre occasion et l'homme à moitié déguisé et d'autant plus grotesque comme Jack Lemmon dans certaines scènes de *Some Like It Hot*. Il avait l'œil fort intelligent et quand il parlait on savait tout de suite à qui on avait affaire: tout le côté cruel mais d'une étonnante pertinence que des années d'expérience dans un monde sans pitié confèrent au grain d'une voix transparaissait à la moindre de ses paroles et je me disais que se retrouver parmi ses ennemis ne devait pas être une sinécure. Mieux valait filer doux en sa présence si on voulait demeurer indemne.

Et le nain Carmen en était une preuve flagrante. Sa façon d'agir devant la Monroe était d'une telle flagornerie qu'il en devenait parfaitement détestable. Il réagissait à *chacune* des paroles de la Monroe, la répétait pour la faire mieux apprécier, allait même jusqu'à mimer sa signification ou, du moins, l'effet qu'elle devrait produire, ce qui donnait à son visage une allure d'arbre de Noël trop illuminé, au bord de provoquer une panne d'électricité. La Monroe était sa sainte mère, son idole, sa déesse, il lui vouait un culte sans mélange et il tenait à ce que ça se sache. Il voulait en être apprécié, il se mourait pour que son idole s'occupe de lui ou, au moins, reconnaisse un tant soit peu son existence. Évidemment, la déesse n'était pas dupe et le traitait avec un mépris insultant.

Corps étranger au milieu de ce groupe peu commun, Alan se contentait de hocher la tête à tout ce qui se disait, sans vraiment suivre la conversation. Les trois énergumènes partis — Carmen courait derrière son Pygmalion comme un petit chien —, nous nous retrouvâmes tous les deux en tête-à-tête sans qu'il ait la moindre idée de ce qui s'était passé.

« Pôrquoi ils s'en vont?
— François va chanter.
— Ici?
— Oui.
— C'est une chanteur de rock and roll?
— Non, c'est ben ça le problème... »

Un brouhaha se fit du côté de la scène — si François en était à son troisième spectacle, moi aussi! —, quelques lumières s'éteignirent et un semblant de silence tomba sur le bar. Alan me prit par la taille dans un geste tout à fait naturel et mon entrejambes qui s'était un peu calmé depuis quelques minutes s'épanouit à nouveau.

« Tu l'as déjà entendyu chanter?
— Oui.
— Il est bon?
— Extraordinaire!
— Il chante quoi?
— Ses propres chansons.
— Avec jyuste une guitare?
— Oui.
— Comme Elvis quand il a commencé?
— J'suppose, oui. Mais c'qu'y chante est bien différent. C'est plutôt le genre... comment dire

ça... folksong? Non, pas folksong mais... t'sais... le genre qui swigne pas!

— Mais c'est pas oune endroit pour faire ça!

— Je le sais.

— Lui, est-ce qu'il le sait?

— Ben oui.

— Et il chante quand même?

— Ben oui.

— Il va se faire tyuer!

— Ben oui!»

La Monroe entra sur la scène comme chez elle, sans se faire annoncer, très femme d'affaires, une main sur la hanche et l'autre triturant sa lèvre inférieure, en patronne qui a un problème grave à résoudre et qui veut en faire part à ses employés.

On lui réserva un accueil chaleureux, plus amical qu'admiratif, et je compris que la Monroe n'était effectivement que la patronne, qu'elle ne se produisait pas sur scène et que, forcément, elle ne se trouvait pas nimbée de l'auréole des grandes stars ou de ceux qui les imitent. Dans la vie, elle devait en imposer à tout le monde, mais la scène n'était pas son royaume, elle la laissait volontiers aux artistes qui amusaient son public pendant qu'elle encaissait en coulisse.

«Silence, s'il vous plaît, moman a quequ'chose à vous dire...»

Seul Carmen réagit en riant trop fort. La Monroe ne put s'empêcher de le regarder d'un air méchant. Le nain en fut flatté au lieu de se sentir menacé. Pauvre Carmen, il ignorait qu'il allait y goûter dans pas longtemps, ou il faisait comme si...

«J'ai une bonne et une mauvaise nouvelle à vous annoncer.»

Un murmure de déception parcourut la salle. J'entendis un travesti susurrer tout près de moi:

«Tallulah est encore partie au royaume de Jimmy Walker... On aura pas de show à soir...»

Cependant, la Monroe continuait tout en levant les bras devant elle à la façon de Norma quand elle entonne sa célèbre *Casta Diva*, du moins sur les photos de Maria Callas.

«Vous savez que chaque samedi soir, après le *last call*, je demande à quelques centaines de mes intimes de rester pour un dernier spectacle... et un dernier verre... Y faut ben que l'argent que je verse à la police pour la protection serve à quequ'chose...»

Quelques rires. Peu.

«Ce soir, malheureusement, notre Tallulah nationale, qui devait nous raconter ses derniers déboires amoureux comme seule elle sait le faire, est indisposée...»

Beaucoup plus de rires, cette fois, une vague de connivence où se mêlaient la moquerie autant que la sympathie avec, en plus, une pointe de commisération compréhensive... Ce n'était pas la première fois que cette Tallulah laissait tomber son public pour cette même raison et son public, quoique déçu, lui pardonnait.

«... le Tropical a donc été obligé de trouver quelqu'un rapidement, le pied levé...»

La curiosité monta d'un cran. Il allait donc tout de même y avoir un spectacle...

Toujours le même travesti :

«R'marquez qu'un peu de changement va faire du bien... Pauvre Tallulah, est ben drôle quand est en forme, mais depuis quequ'mois la bouteille a définitivement remplacé les muses...»

La Monroe, pour décrire François, avait choisi le lyrisme, probablement pour préparer ses ouailles à une performance à laquelle elles n'étaient pas habituées.

«D'abord, c'est un très beau gars, c'qui gâche rien ; ensuite c'est un poète, un très jeune poète, un *très beau* et très jeune poète qui compose ses propres chansons et les chante... en s'accompagnant à la guitare comme le gars, là, dans la mythologie grecque... C'tait quoi son nom, donc... Morphée, j'pense... C'est ça, Morphée et Eurydice... »

Autour de moi, froncements de sourcils et haussements d'épaules. « Murphy qui ? »

Ça commençait mal.

« Vous allez assister ce soir à la naissance d'un grand talent, alors je vous demanderais de pas être des grands tannants... »

Pas un seul rire. Sentant déjà la soupe chaude, la Monroe ravala sa gomme.

« Voici donc sans plus tarder celui qu'on considère déjà comme un héritier potentiel à notre Félix Leclerc national, j'ai nommé François Villeneuve ! »

Au nom de Félix Leclerc, un frisson d'horreur avait parcouru la salle et la Monroe se rendit compte trop tard de sa gaffe. Ce nom-là n'était pas à prononcer sur une scène où évoluaient d'habitude des ectoplasmes de Joséphine Baker et de Mae West. La Monroe disparut en coulisse en sacrant.

Seuls des sifflets d'appréciation pour son physique accueillirent François à son entrée en scène. Chaque homme présent l'aurait baisé sur-le-champ tellement il était beau dans le spot rose et flatteur, et je me dis que si je n'avais pas eu Alan à côté de moi, je serais une fois de plus mort de jalousie (une petite pointe subsistait, tout de même, une légère baisse de pression achalante que j'essayai de faire passer en me réfugiant le nez sous le bras d'Alan qui devait probablement se demander ce que je faisais là parce qu'il se raidit). Il fallait que je me convainque définitivement que le Prince Charmant n'était pas celui que j'avais d'abord cru et ce n'était malheureusement pas encore gagné.

Les minutes qui suivirent furent cauchemardesques. Ce public habitué à une musique tonitruante et à des jokes grasses ne laissa aucune chance à François qui souffrit mille morts.

La première chanson fut accueillie dans un silence relatif — un bar n'est jamais totalement silencieux — et étonné. Quelques rires fusèrent, même ; on croyait à une farce, on s'attendait à ce que d'une seconde à l'autre le beau chanteur fasse un bruit de pet avec sa bouche ou lance une insanité qui ferait exploser tout le monde de rire, mais la chanson — pourtant si belle et si émouvante — se déroulait sans interruption comique et le public comprit avec stupeur que c'était là le prix qu'il aurait à payer ce soir-là pour continuer à boire après les heures réglementaires.

Ce fut alors que le pandémonium promis par le nain explosa vraiment.

Le travesti à côté de moi — c'était sûrement le porte-parole de son groupe qui s'était rassemblé derrière lui — commença par faire un bruit de déception avec sa langue (tut-tut-tut), un peu comme ma mère quand elle était découragée de ce qu'on lui présentait à la télévision, puis il ajouta à voix haute :

« Aïe, chus venu icitte pour lâcher ma folle, pas pour me concentrer ! Y'est trop tard pour me concentrer, la nuit pis moi on est trop avancées ! »

Il avait tout à fait raison. Cette chanson-là n'était pas faite pour ce genre d'établissement et François avait été bien présomptueux de penser qu'il pouvait capter l'attention d'un public qui buvait depuis des heures et qui voulait s'amuser avant d'aller se coucher. Ceux qui ne baisaient pas à cette heure-là ne baiseraient pas du tout. Cette idée m'affola. J'avais un peu perdu de vue le but de cette soirée et je me surpris à me demander à qui j'allais céder ma virginité si jamais je la perdais cette nuit-là... J'essayai d'imaginer Alan nu et ne vis qu'une touffe de poils roux.

Au pied de la scène, la patronne du Tropical regardait Carmen avec un air furibond : c'est lui qui avait dû lui suggérer François comme remplaçant à Tallulah et le martyre qu'il aurait à endurer serait phénoménal. Il le savait et versait maintenant dans le numéro du chihuahua tremblotant pour attirer la pitié de sa maîtresse.

François se rendit courageusement jusqu'au bout de sa chanson sans réagir aux manifestations d'exaspération qui se faisaient de plus en plus nombreuses et pressantes.

Il fut hué, mais dans son orgueil sans limite, il eut le front de saluer en souriant et d'attaquer aussitôt une deuxième chanson. Que nous entendîmes à peine tellement les sifflets et les insultes explosaient dans le bar. Après le triomphe du El Cortijo, tous les intellectuels de Montréal à ses pieds buvant ses paroles et percevant en lui l'avenir de la chanson québécoise, ce monumental flop devant un public paqueté devait être épouvantable et, le cœur brisé, je me détachai un peu d'Alan, comme pour aller défendre le chanteur. Ou le sauver. Alan me retint par le bout des doigts.

« On devrait partir avant que ça va trop mal... »

Sur la scène, François rendait les armes.

Il ne chantait plus. Il regardait le public l'insulter avec un sourire mauvais. Dans sa fureur, il était plus beau, plus sexy que jamais.

« Allez donc chier, gang d'ignorants ! Un jour, vous allez entendre parler de moi pis vous allez regretter de pas m'avoir écouté ce soir ! Mais suppliez-moi pas de revenir ! Jamais ! »

Il sauta au bas de la scène et se dirigea droit vers nous en donnant du coude et de la guitare. Il n'allait tout de même pas détruire volontairement son gagne-pain !

« V'nez-vous-en. On s'en va ! »

Ce n'était pas une question, c'était un ordre. J'allais lui faire remarquer que nous n'étions pas à son service, Alan et moi, même s'il traversait un moment difficile, lorsque le travesti qui avait commencé la cabale se pencha vers lui — il mesurait plus de six pieds, perruque non comprise — et lui posa gentiment une main sur l'épaule:

«C'qui est arrivé, c'est pas de notre faute, cher... c'est de la tienne! T'aurais jamais dû monter sur c'te stage-là avec c'te matériel-là. Moi-même j'ose pas encore pis j'veux en faire un métier... C'qu'y veulent, icitte, c'est Mae West, cher, c'est du glamour pis de la fantaisie, pas Gilles Vigneault!»

François le regarda droit dans les yeux; je crus un instant qu'il allait lui grimper dans la face. Il ressemblait à ces enfants gâtés qui n'ont pas l'habitude qu'on leur dise non et qui font des crises d'hystérie à tout propos. Il était bien près d'être laid, cette fois, bouche pincée, nez fripé, front plissé, et je me demandai avec une pointe d'inquiétude si ce n'était pas là sa vraie nature qu'il tenait habilement cachée pour mieux séduire.

Il parla d'une voix blanche, glaciale, plus terrible que toute colère ouverte:

«Ôte ta main de là, toi, sinon tu vas être obligée d'aller la chercher sur la scène! J'ai les dents pointues, les mâchoires puissantes pis j'adore le sang!»

Je crois bien que le travesti le crut parce qu'il resta bouche bée pour la deuxième fois en moins d'une demi-heure. Et sa main disparut derrière son dos comme si François venait de lui apprendre qu'elle était ridée.

J'avais à peine eu le temps de remettre mon manteau que je me sentis secoué par la manche.

«Amène ton Anglais avec toi si tu veux, mais viens-t'en!»

Je trouvais que j'étais un peu trop rapidement passé de l'admiration sans borne à ce sentiment souvent honteux qui s'appelle le mépris — ça, le Prince Charmant, ce pitoyable enfant capricieux incapable de prendre le premier revers venu? — mais je suivis François sans rien dire, en tirant mon Anglais par la main.

LE PRINCE CHARMANT
N'EST PAS TOUJOURS CELUI QU'ON
PENSE : HEUREUSEMENT !

François fulminait sur le trottoir de la rue Peel :

« Dire que j'me mourais pour être accepté par c'te maudite gang d'arriérés mentaux-là ! Faut-tu être niaiseux ! Faut-tu être aveugle ! Faut-tu pas avoir d'envergure ! »

Carmen, probablement banni par sa déesse et déjà à la recherche d'un nouveau maître à flatter bassement pour s'attirer la moindre caresse, même méprisante, essayait de le consoler comme il le pouvait :

« Faut pas trop t'en faire avec ça, François... chus sûr que la Monroe t'en veut pas pis que...

— J'm'en sacre, qu'a' m'en veuille ou non ; j'veux juste pus jamais revoir sa tête de cheval fiévreux ! Penses-tu que j'vas remettre les pieds là-dedans après c'qui vient d'arriver ! Es-tu fou ! Es-tu malade ! Tu me connais mal ! J'mets les pieds dans' marde juste une fois, moi, après j'fais un détour pour l'éviter ! Pis j'ai une mémoire d'éléphant ! Pis la rancune facile ! Pis la vengeance dévastatrice ! »

Alan et moi nous tenions un peu en retrait. Mon genou, que j'avais eu tendance à oublier dans mon excitation et mon premier vrai trouble sexuel, recommençait à se manifester. L'humidité de l'air pénétrait mon manteau et mon pantalon, j'en avais assez, je voulais m'en aller, disparaître, oublier. Mon lit ! Mon Dieu, mon lit ! Un début de mal de tête me vrillait les tempes, fatigue ou stress, ou les deux à la fois...

Alan se tenait tout près de moi, son bras autour de ma taille, comme s'il avait eu conscience du danger de me perdre d'une seconde à l'autre parce que j'allais probablement sauter dans le premier taxi qui s'adonnerait à passer et disparaître à jamais de sa vie.

Moi non plus je n'avais pas envie de le quitter. Un restant de bouffée rousse et le souvenir d'une gigantesque érection gardaient encore leur empreinte vive dans mes sens, même engourdis par l'épuisement, mais je n'arrivais pas à imaginer la suite, à deviner ce qui pouvait se présenter dans les minutes qui viendraient pour sauver cette nuit de la catastrophe totale et de l'amère déception. Je préférais, comme d'habitude, me retirer sans rien tenter, quitte à passer pour le lâcheur, pour le trou de cul que j'étais.

« J'pense que j'vais rentrer chez nous...

— C'est où, chez vous ?

— Pourquoi tu demandes ça ?

— Pour savoir... pour continouer la conversation... parce que je ne veux pas qu'on se laisse comme ça... »

(Vas-y, plonge ! Fais la grande demande ! Ferme les yeux si tu penses que ça va être plus facile !)

« Toi, où est-ce que t'habites ?

— C'est loin d'ici...

— Ça veut dire quoi, loin d'ici ?

— Ça veut dire Pointe-Saint-Charles. Connais-tu ça ? »

Un Anglais qui habitait Pointe-Saint-Charles ! Pas Westmount ! Ni même Outremont ! Un Anglais pauvre ! Alan avait donc effectivement acheté des billets bon marché parce qu'il n'avait pas beaucoup d'argent, pas pour la raison que je croyais.

« Pointe-Saint-Charles ? Non. J'sais juste que c'est dans l'ouest de l'île... dans le bout de... j'sais pas... Lachine ? Verdun ? Saint-Henri ?

— T'as pas l'air de beaucoup connaître Montréal...

— Connais-tu le Plateau Mont-Royal, toi ?

— Non, c'est vrai, t'as raison... J'sais juste que c'est dans l'Est... dans le bout... du Faubourg à la mélasse, de la Petite Bourgogne, de Rosemont ? »

Ça faisait du bien de rire au milieu de ce maelstrom de couraillage, de chassés-croisés, de fausses pistes, de d'espoirs brisés et de demi-déceptions... Évidemment, François le prit mal :

« Si vous voulez rire de moi, faites-le donc dans ma face, peut-être que je me joindrais à vous autres ! »

J'avais officiellement mon Christ de voyage...

Je me précipitai sur lui en boitillant et vins lui parler bien en face, comme il l'avait demandé :

« Aïe ! Penses-tu que t'es assez important pour qu'on parle juste de toi ! Y'a toute une planète autour de toi, cher ! Y'a toi d'un côté, pis y'a trois milliards de personnes de l'autre ! Ça fait que laisse un peu d'air pour les trois autres milliards ! Alan et moi, on est en train d'essayer de trouver une façon de finir la nuit ensemble, ça te concerne pas pis ça te regarde pas ! »

J'étais moi-même étonné de ce qui venait de sortir de ma bouche et je n'osais plus me retourner vers Alan, de peur qu'il m'éconduise à cause de ma grave indiscrétion.

(Ça y'est, la grande demande est faite, mais en direction de la mauvaise personne ! Maudit gno-chon !)

Étonné de mon agressivité et encore trop énervé pour trouver une formule lapidaire qui me clouerait le bec, François répondit tout à fait à côté de la question, probablement pour désamorcer l'animosité qui grimpait à vue d'œil entre nous :

« 'Coudonc, as-tu mis du Seven Up dans ta bière, toi? T'as une drôle d'haleine... mais c'est pas désagréable. »

Cela détendit un peu l'atmosphère — Carmen rit trop fort et j'entrevis le beau duo qu'il allait désormais former avec François — et je pus faire face à mon prétendant, comme l'avait baptisé le chanteur, tout en cherchant une gomme à mâcher dans ma poche de manteau...

François avait eu le temps de reprendre du poil de la bête et de retrouver toute sa verve :

« Où est-ce que vous en étiez, là? Étiez-vous rendus à : *Chez moi ou chez toi ?* ou bien si vous êtes trop pognés pour vous rendre jusque-là comme j'le pense? »

Puis une idée des plus amusantes sembla lui passer par l'esprit et il nous demanda avec un air faussement innocent :

« 'Coudonc, êtes-vous puceaux, tous les deux? »

Nos deux têtes, passant du blafard de fin de soirée au rouge betterave en moins de trois secondes, en disaient long ; Carmen faillit s'écrouler de rire sur le trottoir glissant de la rue Peel, François prit l'air mi-contrit mi-faussement navré de celui qui a trop bien réussi un mauvais coup pourtant improvisé à la dernière seconde et qui veut se faire pardonner :

« Excusez-moi. J'voulais pas viser *aussi* juste! Voulez-vous des conseils? Voulez-vous que j'vous fasse un dessin? Voulez-vous que j'vous guide? Voulez-vous que je joue les professeurs expérimentés pis qu'on fasse ça à trois? Ou à quatre, parce que Carmen en connaît un bout lui aussi? »

Carmen hurlait tellement fort que j'étais convaincu que la police allait venir. En attendant, notre problème était loin d'être réglé.

(Bon, y fallait que je tombe sur aussi inexpérimenté que moi! Ça va être beau si on sait vraiment pas quoi faire ni l'un ni l'autre! Ben 'coudonc, on laissera faire la nature, est supposée être au courant, elle!)

Sans plus m'occuper des deux autres qui s'amusaient vraiment trop à nos dépens — je trouvais que François oubliait bien vite ses déboires pourtant tout frais et dont il semblait, à peine quelques minutes plus tôt, ne pouvoir jamais se sortir —, je me penchai vers Alan qui paraissait au bord des larmes.

« On peut pas aller chez moi, Alan. J'habite avec mes parents. J't'ai vu avec ta mère, à l'opéra, ce soir, habites-tu avec elle toi aussi ? »

Il fit un petit oui de la tête et je sacrai intérieurement.

Et voilà, fin de l'histoire. Tout ça pour en arriver là, dans un cul-de-sac incontournable qui garderait ma virginité intacte malgré mes efforts.

Encore une fois — c'était décidément la nuit des surprises — le salut vint d'une direction inattendue.

François avait sorti un trousseau de clés qu'il brandissait comme la statue de la Liberté sa torche.

« J'ai les clés du El Cortijo. Y'a un beau sofa bien profond dans la pièce d'en arrière... J'vous offre votre première nuit d'amour même si vous la méritez pas... Pis j'sais pas pourquoi j'dis ça, vous la méritez, après tout, tout le monde la mérite... »

J'avais levé le doigt comme un petit garçon à l'école.

« Oùsque tu vas être, toi, pendant ce temps-là ? »

Ce si beau sourire encore, et un pincement à mon cœur pourtant officiellement occupé ailleurs.

«Faute de pain, on mange de la galette; faute de géants, on dévore des nains!»

C'était d'une grande cruauté mais Carmen le prit comme un compliment et faillit s'écrouler de gratitude, d'excitation et d'expectative.

Ce fut au tour d'Alan de se pencher vers moi:

«Où est-ce qu'il veut nous amener? Et combien il a dit qu'il y avait de sofas?»

*

Le chauffeur de taxi refusa d'abord de prendre quatre passagers et nous dûmes lui promettre un pourboire royal pour le convaincre.

«Pis j'vous avartis, j'veux pas aller loin! C'est mon dernier voyage, j'm'en allais me coucher! Faites-moi pas faire le tour de Montréal, là, j'vas juste à *un* endroit même si vous êtes quatre...

— On s'en va justement tous au même endroit!

— Vous restez ensemble? Ça doit pas être beau à voir dans c'te maison-là!»

François n'avait visiblement pas envie de se faire baver par un chauffeur de taxi:

«Aïe! Ferme donc ta yeule pis conduis donc ton bazou, toi!

— Ça prend un taxi devant une boîte de tapettes pis ça veut se faire passer pour un homme!

— As-tu déjà été déshabillé par quatre tapettes en Christ, toi? Non? Ben ferme-la pis chauffe!»

L'idée dut lui sembler particulièrement dégoûtante parce que le chauffeur de taxi se contenta de grommeler entre ses dents pendant tout le trajet.

Au cadran de la voiture, il était quatre heures sept. Aussitôt installé sur la banquette de faux cuir, une impression bien au-delà de la fatigue physique tomba sur chacun de mes os, sur chacune de mes fibres, sur ma matière grise au ralenti. Je n'étais pas épuisé, j'étais dévasté comme un champ de bataille après un assaut particulièrement vicieux. La seule pensée que j'allais peut-être me retrouver dans quelques minutes obligé de fournir une performance sexuelle, ma première, la plus importante peut-être parce qu'elle serait sûrement déterminante, me décourageait. Dormir dans les bras d'Alan, oui ; réfugier mon nez dans son cou, respirer son corps toute la nuit, sentir son intérêt pour moi, déployer doucement le mien, à la rigueur me rendre jusqu'aux caresses intimes qui ne portent pas à conséquence... mais me taper une partie complète de jambes en l'air sans savoir vraiment ce qui m'attendait — est-ce que ça fait si mal que ça la première fois, est-ce que j'allais moi-même faire souffrir Alan ? —, essayer de retrouver mon équilibre au milieu d'une gymnastique complexe alors que je n'avais plus ma tête à moi, ni mon corps, d'ailleurs, puisque je savais que je ne pourrais pas me servir de mon genou gauche, ahaner à n'en plus finir en attendant le grand frisson et le cri libérateur, regarder Alan — déjà roux — devenir rouge comme une pivoine et me sentir moi-même au bord de l'apoplexie, tout ça m'affolait, tout à coup, et je n'étais plus convaincu que c'était uniquement à cause de la fatigue.

Et si je n'étais tout simplement pas prêt pour faire le grand saut ?

(Y me semble que ces choses-là doivent se produire quand on est en forme, pas quand on est à moitié mort de fatigue ! Si chus plate, si lui aussi est plate, qu'est-ce qu'on va faire, bayer aux corneilles en regardant le plafond ? Au fait, de quoi y'a l'air, le plafond du El Cortijo ? Y'a-tu des filets de pêche comme dans les autres boîtes à chansons ? Y me semble que non... Je remarque ça, ces choses-là, d'habitude, pourtant... Essaye pas de faire dévier tes pensées vers des choses insignifiantes, le plafond du El Cortijo a aucune espèce d'importance en ce moment, pis tu le sais très bien...)

Pendant que le taxi s'engageait lentement dans la rue Ontario à cause de la glace, je dus me rendre à l'évidence : j'avais peur d'avoir peur du cul.

De plus, Alan s'était endormi sur mon épaule!

*

Je n'eus donc pas le loisir de lui expliquer ce qu'était le El Cortijo, aussi Alan fronça-t-il un peu les sourcils lorsque nous nous retrouvâmes tous les quatre dans la côte de la rue Clark après avoir payé le taxi.

« Une autre bar ?

— D'un autre genre, oui... »

Étonnamment, je ne fus pas surpris lorsque François s'aperçut que la porte du café n'était pas verrouillée. J'étais même soulagé à l'idée que quelqu'un s'y trouvait encore et qu'en fin de compte il faudrait que je rentre tranquillement chez moi.

François bredouilla quelques excuses en poussant la porte...

Françoise Berd, André Pagé et Tex étaient attablés devant une bouteille de vin rouge et discutaient. Plutôt que l'effet d'une bombe, notre arrivée eut l'air de réjouir tout le monde. Tex, grand seigneur, se leva en criant :

« Salut, l'artiste, qu'est-ce qui te ramène ici ? »

André et Françoise semblaient eux aussi ravis. Cette dernière s'essuyait le visage comme si elle avait trop ri.

François, pour sa part, avait pris un ton faussement enjoué :

«Vous autres, qu'est-ce que vous faites là?

— Y sont arrivés juste comme j'allais partir, pis d'une chose à l'autre...»

François nous avait laissés en plan devant la porte pour se diriger vers leur table. Il s'adressa à madame Berd avec une pointe d'ironie dans la voix:

«Avez-vous trouvé votre voleur, toujours?»

Tex nous faisait de grands signes:

«V'nez vous asseoir, prenez un verre de rouge, ça va vous réchauffer le canayen!»

Nous nous avançâmes timidement comme des enfants dans un party d'adultes. Je présentai Alan, François présenta Carmen que Tex connaissait déjà mais qui sembla piquer la curiosité des deux autres. Le vin fut rapidement versé et je me défendis bien de même y goûter, j'avais trop peur de tomber le nez dans mon verre et de m'y noyer.

Pendant le récit de Françoise, Alan semblait assommé d'étonnement d'avoir abouti là où il se trouvait en ce moment, en compagnie d'étranges personnages qui buvaient du vin rouge dans un café fermé depuis des heures en devisant joyeusement de voleurs de chansons et de poursuite en voiture à travers la ville.

Malgré sa fatigue et sa nervosité, madame Berd n'avait rien perdu de sa verve:

«Imaginez-vous donc qu'on a couru après lui pendant près d'une demi-heure pour se rendre compte que c'tait pas du tout lui! En fait, on se doutait bien que c'était pas lui, mais comme j'le disais toujours à André quand il riait trop de la situation ridicule dans laquelle on était plongés: «Même si c'est pas lui, ça me défrustre de courir après! J'ai l'impression de faire quelque chose d'utile au lieu d'abdiquer! Chuis pas une abdiqueuse, tu le sais! Et si c'était lui, hein, si c'était lui, on sait jamais!» Une chance, j'pense pas que le pauvre gars s'est rendu compte qu'on le suivait, y'était trop occupé à chercher ses adresses...

Elle se pencha un peu, ajouta sur un ton de conspiration :

« On est peut-être pas tombés sur un voleur de chansons, mais on est tombés sur un livreur de drogue ! »

André Pagé l'interrompit :

« Françoise, c'est pas sûr, ça...

— Écoutez, un gars qui s'arrête à trois adresses en une demi-heure...

— C'était peut-être un livreur de barbecue...

— Y'avait rien d'indiqué sur sa voiture...

— Mais il portait des paquets...

— C'est bien ce que je dis...

— C'tait des paquets trop gros pour contenir de la drogue...

— Si tu livrais de la drogue, toi, tu la déguiserais pas en autre chose, non ? Du barbecue, par exemple ? »

Elle revint vers nous en prenant son verre de rouge.

« Alors on a eu un peu peur de se faire repérer — ces gars-là doivent toujours être sur le qui-vive — et on a abandonné la poursuite... On a joué les policiers pendant une demi-heure ; ai-je besoin de vous dire que j'ai beaucoup aimé ça ? »

Tex, qui avait dû entendre l'histoire au moins dix fois, riait encore :

« Y livrait peut-être les chansons de Gilles Vigneault ! »

J'aurais pu leur dire que la flotte de camions qui m'avait remplacé quand j'avais été mis à la porte du barbecue, quelques années plus tôt, n'avait pas été identifiée pendant quelques semaines, au début, parce que les lettreurs avaient été occupés ailleurs. Leur suspect pouvait effec-

tivement être le livreur d'un nouveau restaurant...
Mais ç'aurait été m'immiscer dans la conversation, raconter un pan de ma vie, donner des explications trop longues et en fin de compte fort peu intéressantes, et j'étais trop fatigué.

François voulait savoir le fin fond de l'histoire :

« Pourquoi vous êtes revenus ici au lieu de rentrer chacun chez vous ? »

Le sourire d'André Pagé, large, généreux, n'était pas sans rappeler celui de François et devait faire pas mal de ravages dans le milieu artistique de Montréal.

« Tu connais Françoise, son beau sentimentalisme... Elle voulait venir vérifier une dernière fois avant d'aller se coucher si le voleur, pris de remords, n'était pas venu reporter la serviette de Gilles...

— Où ? Dans la rue ?

— Ou ici, au El. »

Françoise soupira en secouant la tête.

« Y me semble que ce serait la seule chose à faire. Tu voles une voiture parce que t'en as besoin ou que tu veux la vendre, d'accord, mais quoi faire avec une serviette remplie de chansons originales ? »

Je mis quand même mon grain de sel, peut-être pour la consoler.

« Quand y va se rendre compte que c'est des chansons de Gilles Vigneault, peut-être qu'y va essayer d'y revendre... »

Les yeux de madame Berd s'allumèrent comme si elle venait d'apercevoir la Vierge dans sa grotte en train de dire « Pauvre Canada ! » :

« C'est vrai ! J'avais pas pensé à ça ! T'es donc bien fin, toi ! Une chance que t'es revenu ici, j'vais pouvoir dormir cette nuit ! Les chansons sont peut-être pas perdues... Gilles va peut-être pouvoir les racheter de son voleur ! »

Tex prit un air dubitatif.

«Gilles a peut-être pas les moyens de racheter ses chansons... J'sais bien que si on me volait les miennes, moi...»

Madame Berd, elle l'avait dit elle-même, n'abdiquait pas aussi facilement:

«On se mettra ensemble pis on y rachètera, ses chansons!»

Je n'y croyais pas moi-même — les autres non plus, d'ailleurs, même si à quatre heures du matin les contes de fées semblent parfois possibles — mais j'étais plutôt fier de ma bonne action. J'avais l'impression de me racheter de ne jamais avoir été scout.

Puis *la* question tomba comme un couperet et nous restâmes silencieux tous les quatre. Tex s'était levé pour aller chercher une dernière bouteille de vin — c'est du moins ce qu'il prétendait — et avait demandé à François, mine de rien mais sûr de son effet:

«Tu m'as toujours pas répondu, l'artiste! Pourquoi vous êtes revenus ici, vous autres? Avais-tu encore besoin de mon sofa?»

Les secondes qui suivirent furent des plus intéressantes. Au milieu du silence général, j'avais l'impression d'entendre chacun penser; François se cherchait une défaite, Alan voulait se sauver en courant, Carmen devait plutôt s'amuser du malaise général et les deux autres, par recoupements, par déductions et aussi à nos mines déconfites, devinèrent nos intentions et dissimulèrent leurs sourires dans leurs verres pourtant vides.

François se contenta de baisser la tête — lâcheur!, il aurait pu trouver mille raisons! — et nous eûmes l'air d'une partouze avortée.

Alan se leva.

«Exquiousez-moi... Il faut vraiment que je m'en aille...»

Je l'imitai, sans rien dire, cependant.

Tex fit le tour de la table, nous rassit avec des claques dans le dos qui se voulaient amicales, mais qui résonnèrent jusque dans nos talons tellement elles étaient vigoureuses.

« C'tait une farce, voyons donc... Rassoyez-vous pis finissez au moins vos verres ! Si vous avez nulle part où aller dormir, j'pars dans quequ'minutes, le sofa est à vous... Mais un sofa pour quatre, y me semble que c'est un peu tassé... Surtout celui-là ! »

Françoise et André pouffèrent une dernière fois en se levant.

« Bon, y'est assez tard, on va y aller... »

Le café se vida dans le temps de le dire (embrassades sincères, poignées de mains chaleureuses, j'espère qu'on va se revoir, merci, Tex, t'es ben blood, bienvenue mais exagère pas sur le pain béni, non, non, c'est la dernière fois, on dit ça, on dit ça...).

Lorsque nous fûmes à nouveau seuls tous les quatre, le silence, lourd d'expectatives diverses et de questionnements précis, retomba sur le El Cortijo plongé dans la demi-obscurité par un François qui connaissait son affaire. Le moment ne s'y prêtait pourtant pas mais je pensai à ma mère qui devait m'attendre, le nez collé à la fenêtre de la salle à manger, morte d'inquiétude. Elle avait dû appeler la police trois ou quatre fois déjà, faire rire d'elle parce que j'avais dix-huit ans et que je pouvais faire ce que je voulais de mes samedis soirs, se faire traiter de mère poule, vociférer comme seule elle savait le faire au téléphone en traitant tout le monde de sans-cœur et de sans-mœurs, parcourant ensuite la maison de long en large comme une lionne en cage à qui on a enlevé son dernier petit, se gavant de gâteau au chocolat — la chanceuse — pour se consoler un peu et se rendant compte que ça ne marchait pas, que ça ne

185

faisait qu'accentuer son inquiétude et barbouiller son foie déjà engorgé.

J'avais intérêt à profiter de ma nuit jusqu'au bout parce que mon retour à la maison serait du genre explosif.

J'avais appris le mot pandémonium durant la soirée et je me complus pendant quelques secondes à repeindre notre appartement en capitale de l'enfer, avec maman dans le rôle d'une Lucifère vociférante et ridicule dans son costume de cuir rouge feu mais bonne comme du bon pain et en fin de compte miséricordieuse, et moi en naïf néophyte qui insiste pour visiter les lieux au lieu de s'arracher le cœur de contrition.

Évidemment — je le savais, je l'aurais juré, j'aurais parié ma chemise! — le sofa était trop petit pour quatre. Tout ce qui pouvait s'y dérouler était une orgie bien tassée, vite expédiée et génératrice de remords judéo-chrétiens instantanés et d'une efficacité à toute épreuve. Nous étions tellement découragés, Alan et moi, tellement saouls d'épuisement, que sans le bon cœur de François qui aurait pu en profiter mais qui comprit notre désarroi, nous nous serions laissés abuser sans dire un mot, remettant à plus tard et par pur accablement cette nuit de délices que nous avions tant espérée (moi, du moins).

« Est-ce qu'y vous reste assez d'argent pour rentrer chez vous ? »

Je sursautai parce que nous nous tenions tous les quatre devant la couche du péché, bras ballants et tête basse, comme des enfants qui ont déjà chuté et qui font la queue devant un confessionnal, alors que j'étais convaincu que les prochains sons que j'entendrais seraient de cette variété inépuisable des si peu élégants borborygmes que produisent des corps qui baisent, du moins dans mon imagination.

«Moi, y me reste sept dollars de l'argent que tu m'as prêté...»

Un petit regard vers Alan qui venait comme moi de se retrouver au bord du gouffre et qui ne croyait pas encore qu'il l'avait évité de justesse.

«Moi...»

Il vida ses poches, lentement; on aurait cru qu'il était paqueté tant il titubait de fatigue, et il éprouvait visiblement quelque difficulté à compter son argent.

«Oui... I think so...»

François s'était laissé tomber sur les ressorts récalcitrants qui devaient déjà lui endolorir le fessier.

«Donnez-vous votre numéro de téléphone... Promettez-vous de vous rappeler. Prenez chacun un taxi... rentrez chez vous...»

Je lui aurais arraché le visage. Il m'avait fait courir toute la nuit pour finir par me conseiller de rentrer tranquillement me coucher parce que c'était l'heure! Mes deux Princes Charmants m'échappaient! J'avais fait deux fois le tour de la ville pour rien! Non seulement j'aurais à affronter ma mère avec la cerise encore intacte, mais j'aurais en plus au fond de la gorge ce désagréable arrière-goût de la tâche inaccomplie, de la déception d'avoir épuisé mes énergies en vain, de l'échec cuisant et humiliant qui débilite l'amour-propre au point de le réduire à moins que rien. Si je me laissais aller au lyrisme juste un peu plus, mon cerveau exploserait et le sofa ne pourrait plus jamais servir de trampoline de l'amour!

J'étais parti en quête du bonheur suprême et je reviendrais comme un quêteux qui a connu une journée catastrophique!

François avait dû sentir mon inquiétude parce qu'il leva vers moi un visage sincèrement désolé — c'était pire!, je refusais à François le droit à ce regard de chien battu! — en haussant les épaules d'impuissance.

Mais je me refusais aussi à moi-même la grande scène de rupture, les reproches vitriolés, les insultes d'une précision foudroyante, les menaces angoissantes tellement la victime a peur qu'elles soient mises à exécution. À cause de la présence d'Alan, bien sûr, lui-même jouet de cette cataclysmique soirée, mais surtout de l'engourdissement de mon cerveau qui m'empêcherait probablement d'atteindre l'efficacité que je viserais et dont je me sentais frustré.

Le temps d'un battement de cils, je rêvai d'écrire à François en remboursement de son prêt — c'est tout ce qui me restait de forces —, une lettre d'une telle violence qu'il ne s'en remettrait jamais, une lettre qui aurait pour conséquence de l'empêcher de connaître la carrière que tout le monde, sauf les habitués du Tropical, lui prédisait... C'était bien peu pour une si grande déception, mais cela me soulagea tout de même.

«J'peux vous appeler des taxis Diamond, si vous voulez...

— Laisse faire! J'aime mieux rien te demander! Pis si j'avais pas si mal au genou, j'te remettrais ton argent pour pas avoir à te revoir!

— J'comprends.

— Ben non, tu comprends pas! T'as eu ton fun, c'est tout ce qui compte!

— Tu te trompes... J'ai pas eu *tout* mon fun...»

Ma réponse sortit sans que je réfléchisse et j'aurais pu me frapper tellement je me sentis méchant:

«Tu l'as dit toi-même: faute de géants...»

Un mouvement à ma droite. Carmen s'était approché de moi. Allait-il me mordre l'entrejambe comme je le méritais et recracher ensuite le morceau en faisant une grimace de dégoût? (Mais

188

n'était-ce pas aussi méchant de penser que sa bouche était à la hauteur de mon entrejambes?)

Sa drôle de voix, c'était plutôt étonnant, avait pris des modulations presque consolatrices au lieu du ton agressif auquel je me serais attendu, comme s'il avait décidé de lui-même de régler les problèmes de gens trop bêtes pour se trouver des solutions tout seuls.

«As-tu vraiment envie de t'en aller chez vous?

— Aïe, vas-tu jouer à la mère en plus! Mais t'as raison... Pour le moment, j'aurais envie d'aller me jeter en bas du pont Jacques-Cartier plutôt que de faire face à ce qui m'attend probablement chez nous...»

Il se tourna vers Alan, assis sur une petite table chambranlante qui risquait d'une seconde à l'autre de céder sous son poids. Je voyais déjà les titres, le lundi matin: *Anglophone assommé par des beatniks drogués et saouls dans leur repaire de la rue Clark!*

«Et toi?

— Me? J'ai l'impression que Pointe-Saint-Charles est tellement loin que c'est une autre pays...

— Nous autres, on a *toujours* cette impression-là...

— What?

— Rien, rien... Mais si je vous fournissais une façon de passer la nuit ensemble...»

Ah! non, pas encore! Pas un autre Bon Samaritain! Je n'avais pas du tout l'intention de finir ma nuit au Palais des Nains de la rue Rachel, dans un lit encore plus étroit que le sofa du El Cortijo, avec les touristes américains qui sonneraient à la porte dès dix heures!

«Non, merci! Franchement, là, j'vas passer ce tour-là...»

Mais Alan s'était approché, avait très doucement posé sa bouche sur mon oreille droite.

« C'est oune dernière chance... »

Toute la tendresse du monde se retrouvait dans ces quelques mots prononcés avec un accent à couper au couteau, mais sexy à faire frémir.

Je tournai la tête dans sa direction. Tiens, même ses yeux étaient roux...

Carmen avait baissé le ton, comme quelqu'un qui se confesse d'un bien grave péché :

« Y'a un Tourist Room au Carré Saint-Louis... Ça s'appelle d'ailleurs le Saint-Louis Tourist Room... C'est pas cher, c'est propre... Vous direz à Jackie, c'est la patronne, que c'est moi qui vous envoie. Demandez-y la chambre 22. C'est la plus grande, la plus confortable. Vous pouvez même y aller à pied, c'est tout près. »

Je regardai François bien droit dans les yeux. Tiens, tiens, le bleu s'était délavé, ses yeux étaient trop pâles à cette heure-ci de la nuit...

« Appelle donc un taxi Diamond...

— C'est pas assez loin, y va être enragé...

— En mettant notre argent ensemble on finira ben par trouver le moyen d'y donner un pourboire royal à lui aussi... »

*

« Avez-vous l'âge ?

— L'âge de quoi ? De dormir ?

— L'âge de louer une chambre, c't'affaire !

— Quel âge qu'y faut avoir pour louer une chambre ?

— L'âge de ce que vous vous préparez à faire...

— À quel âge on peut faire ça ! À l'âge où on peut louer une chambre ? On tourne en rond, là...

— Aïe, le smatte, en veux-tu ou si t'en veux pas une chambre ?

190

— Voulez-vous m'en louer une ou si vous voulez pas! C'est pas moi qui pose des questions, c'est vous! Si vous posez des questions comme ça à tous vos clients, y doivent pas revenir souvent! Pis y doit pus leur rester grand temps pour faire c'qu'y sont venus faire!

— Chus pas toujours obligée de leur faire passer une interview, non plus! Mes clients sont pas toujours des p'tits chickens comme vous autres, avec le nombril pas encore sec pis le trou de cul encore ben vissé!

— Faites-vous en pas, si j'avais eu les moyens de me faire dévisser le trou de cul ailleurs, je l'aurais fait!

— T'as la réponse trop facile, toi, j'voudrais pas être ta mère! Pauvre femme!

— Laisse-moi vous dire que si ma mère me voyait en ce moment, a' voudrait pas être ma mère elle non plus!

— J'te dis que si c'était pas Carmen qui t'envoyait, toi, tu serais déjà en train de saigner sur la glace du trottoir! »

Jackie n'était pas blonde, elle était albinos! Comment une femme visiblement aussi noire à l'origine en arrivait-elle à vouloir devenir aussi pâle? Le peu d'argent qu'elle faisait avec sa location de chambres devait à peine suffire à payer son compte de peroxyde! Et comme elle travaillait surtout la nuit, elle se sentait aussi obligée d'avoir l'air bronzée malgré tout et se maquillait en conséquence. De la noiraude au teint pâle, elle était passée à la blonde platine grillée. Et comme des fois la nuit c'est long quand les clients se font rares, elle faisait une consommation irrationnelle de chocolats bon marché —une boîte de cinq livres de Lowney's posée à côté de la caisse le prouvait — et en portait fièrement les séquelles.

Nous avions facilement trouvé le Saint-Louis Tourist Room. En fait, le chauffeur de taxi nous avait déposés à la porte en nous souhaitant un beau : «Bonne nuit, girls!» qui avait fait rougir une fois de plus Alan. Le pauvre traversait sûrement la soirée où il avait le plus rougi dans toute sa vie.

C'était évidemment mon premier «tourist room» et j'avais gravi les marches qui menaient à la réception en me demandant comment j'allais aborder la personne préposée à la location : est-ce qu'il fallait s'informer du prix de la chambre ou ne rien dire du tout et prendre une clef; est-ce qu'il fallait payer d'avance, juste le lendemain, demander des serviettes comme dans les films français, se cacher le visage dans son manteau ou faire comme si on était un client régulier, remplir une fiche... Mon dieu, est-ce qu'il fallait remplir une fiche? Pour la police, au cas où il y aurait un meurtre...

«Tu vas quand même me remplir une petite fiche, mon homme?»

(Bon, ça y est, c'est le temps de m'inventer un pseudonyme! Un métier! Un âge! Une vie complète! J'espère qu'Alan va penser à faire la même chose!)

«Toi aussi, mon rouquin?»

Je n'osais regarder en direction d'Alan pendant que nous remplissions nos petits cartons blancs. De toute façon, j'étais trop occupé à m'improviser une identité un tant soit peu vraisemblable... Surtout que ça ne me venait pas et que tout ce qui me passait par la tête était soit comique, soit ridicule. Ou les deux.

(On prend trop de temps! On prend trop de temps, a' va se douter qu'on n'écrit pas nos vrais noms! Niaiseux, penses-tu vraiment que ceux qui viennent ici utilisent leurs vrais noms? Son registre doit être plein de John Smith pis de Jos

Simard, de faux docteurs pis de supposés avocats!)

Jackie prit les deux cartons que nous lui tendions — nous gardions les yeux baissés sur la boîte de chocolats et la culpabilité transpirait de chacun de nos pores —, les consulta, imperturbable, puis murmura:

«George Sand, étudiant... pis Donald O'Connor... danseur. Chus gâtée à soir! Un écrivain du dix-neuvième siècle pis une vedette d'Hollywood!»

Mais une ombre de sourire avait fleuri au coin de ses lèvres et un grand soulagement descendit sur nous, comme l'Esprit Saint sur les apôtres inquiets le matin de la Pentecôte.

«On peut-tu avoir la chambre numéro 22? Carmen nous a dit de demander la chambre numéro 22 si est libre...

— Veux-tu une bouteille de champagne gratis avec ça? Des capotes en vison? Veux-tu que j'aille vous faire un strip-tease... quoique ça risquerait pas de vous émoustiller tellement pis mon petit frère est déjà occupé...»

Elle prit une clef sur un tableau derrière elle. La soirée avait dû être creuse parce qu'il n'en manquait que deux ou trois. Celle de la chambre 22 était toujours là, d'ailleurs...

«Tiens, prends celle-là pis compte-toi chanceux que j'te demande pas une carte d'identité... pis priez le bon Dieu pour qu'y'aye pas de descente cette nuitte!»

Sur ces paroles encourageantes — je me voyais déjà, menottes aux poignets, demandant la permission aux policiers d'appeler chez nous pour que ma mère vienne m'étrangler —, nous nous dirigeâmes vers l'escalier de bois verni qui menait à l'étage. Ça sentait le stuff pour tuer les bibittes et le push-push au citron.

Alan tremblait un peu.

«As-tu peur?

— No, mais je souis tellement fatigué que je peux pas m'empêcher de trembler...»

En additionnant ma fatigue à la sienne, ça promettait!

Devinant probablement que nous en étions à nos premières armes, Jackie avait été plutôt généreuse: la chambre était spacieuse, propre, accueillante... même si les couleurs dominantes étaient le bleu et le vert! Comble de l'ironie, j'allais en fin de compte baiser dans le maudit décor de *Roméo et Juliette*!

Mais un détail confondant attira tout de suite mon attention et un interdit absolu et définitif s'érigea autour du lit au demeurant invitant, du moins c'est ce que je crus à ce moment-là: le couvre-pied de chenille aqua était en tous points semblable à celui de mes parents quand j'étais enfant. Même fleuri aux couleurs déteintes par trop de lavages, mêmes entrelacs compliqués de dessins entourant lesdites fleurs comme pour les étouffer, même rebord tortillé parce que mal exécuté à l'origine, même mollesse provoquée par trop d'usage.

Saoul d'épuisement et prêt à me laisser aller aux fantasmes les plus morbides, j'eus la révélation que c'était le même, qu'un avertissement me parvenait de l'au-delà des couvre-pieds, du ciel de la literie, de l'enfer des vieilleries de maison qui reviennent se venger des mauvais traitements qu'on leur a fait subir, et je restai planté au milieu de la pièce, bouche bée et yeux exorbités, totalement convaincu, cette fois, que rien, absolument rien, ne pouvait se passer entre Alan et moi cette nuit-là parce que l'ancien couvre-lit de ma mère en serait témoin.

«C'est toi qui as peur, maintenant?»

Le couvre-lit était usé aux mêmes endroits, avec cependant de nouvelles traces que je ne connaissais pas : des générations de fesses pécheresses avaient d'abord râpé la chenille à la bordure du lit, puis — et c'était là que se situait la grande différence — au mitan du matelas quand l'urgence sexuelle s'était faite trop vive et qu'on n'avait pas pris la peine de déshabiller le lit. Si je ne l'avais pas moi-même mis dans les vidanges des années plus tôt, j'aurais vraiment cru que c'était le même qui avait été récupéré ici, dans un bordel. Pour le moment, en tout cas, je jouais à le croire, peut-être pour contourner l'inévitable, sautant sur cette inespérée échappatoire comme si le reste de ma vie en dépendait : si je m'accrochais à cette idée, je n'aurais pas besoin d'accomplir la mission que je m'étais donnée et qui me faisait peur maintenant qu'elle se retrouvait réalisable.

« J't'ai posé une question...

— Écoute... J'vas te demander quequ'chose qui va te paraître absurde, mais fais-le sans poser de question, j't'expliquerai plus tard... »

Peut-être inquiet de déjà sentir en moi un possible adepte du sado-masochisme ou des exigences de sexualité un peu malade, Alan recula d'un pas. Et c'est en voulant le rattraper, le rassurer, que je provoquai notre premier baiser. Il fut échangé debout au pied du lit, long, profond, teinté de bière et de Seven Up, et tellement doux que tous mes doutes et toutes mes inquiétudes furent confondus d'un seul coup et définitivement. Au diable les avertissements du ciel, les couvre-lits fantômes et les peurs ridicules, je n'étais pas là pour sauver mon âme !

J'arrachai moi-même le couvre-lit que je fis revoler à l'autre bout de la pièce, puis je me laissai tomber sur le matelas ramolli et recru par des années de bons et loyaux services.

Nos ébats furent d'abord maladroits, mais notre manque d'expérience avait ceci d'excitant que chaque geste, chaque approche, étaient nouveaux, intéressants, exaltants. Quand la main de l'autre ou sa bouche, prenant vite de l'assurance, s'aventurait dans une zone que nous avions toujours crue interdite ou inexplorable, la surprise passée et le plaisir reçu ou donné, assumé, des feulements discrets ou des cris ostentatoires nous échappaient et nous en redemandions, péremptoires et exigeants, portés à nos corps défendants — parce que nous ne voulions pas que ça aboutisse, jamais! — au bord de la jouissance et défaillants de nous voir obligés de nous retenir. Nous n'étions plus fatigués, au contraire, nous étions ivres de forces retrouvées et de désirs exacerbés.

Les odeurs qui montaient du lit étaient tellement divines qu'il m'arrivait de m'arrêter au milieu d'un geste pour m'emplir les narines de ces effluves épicés que mon éducation d'Américain du Nord m'avaient toujours dicté de censurer. Je ne refoulais plus ce penchant que j'avais pour tout ce qui concernait l'odorat et mon festin était complet. J'avais eu un avant-goût de la senteur du corps d'Alan en dansant avec lui au Tropical, cette fois je l'avais tout à moi et j'en profitais en grognant de plaisir. Quand je m'immobilisais trop longtemps, Alan demandait avec son accent qui me rendait fou d'excitation : « Qu'est-ce qui se passe? Pôrquoi t'arrêtes? » et je répondais : « Sens-tu ça? Sens-tu ça, comme ça sent bon? » Mon nez fourrageait partout, fouillait sa chair odorante à la recherche d'un bouquet inconnu, d'un arôme nouveau et j'en trouvais! Toujours! Lui faisait de même, mais avec plus de circonspection. Chez moi, le Latin se laissait aller à l'exploration sauvage; chez lui, l'anglo-saxon, plus prudent, s'obligeait à un brin d'analyse avant de plonger en terrain inconnu.

Ça goûtait ce que ça sentait et ça sentait une chose dont j'étais convaincu de ne plus jamais pouvoir me passer.

Je perdis ma virginité alors que le soleil se levait ; il perdit la sienne quelques minutes plus tard.

Bingo ! Mission accomplie ! Victoire !

J'étais un adulte consentant et je consentais volontiers !

La grande séance terminée, la cérémonie portée à sa conclusion, sonore et même tonitruante, nous sombrâmes tous les deux dans un profond sommeil au milieu du lit dévasté. Eh ! oui, comme des bêtes. Comme dans Zola ou certains films italiens.

Juste avant de m'endormir, au moment où Alan lui-même coulait en s'agrippant à moi comme si j'avais été sa bouée de sauvetage, j'eus la vision comique de Pierrette Alarie et de Richard Cassily essayant de nous faire croire à des ébats factices et dérisoires au milieu de rideaux de tulle vert et bleu, et je me dis que la vraie nuit de noces de Roméo et Juliette, quels qu'en soient les partenaires, n'avait pas besoin d'être mise en musique.

Pas une seule fois je n'avais pensé à chanter en aimant.

*

À notre réveil, la culpabilité nous tomba dessus comme une tonne de briques. Pas celle de nous être aimés comme nous venions de le faire quelques heures plus tôt — nous étions plutôt fiers de notre coup —, celle de ne pas avoir prévenu nos mères que nous ne rentrerions pas de la nuit. Là était le péché. Et là se situait le danger.

Je confiai à Alan combien j'avais trouvé sa mère belle, il me décrivit à quel point elle était merveilleuse. Je lui parlai ensuite de la mienne, de mon adoration pour elle, de son adoration pour moi — curieusement, pas un mot ne fut prononcé au sujet de nos pères — et nous en vînmes au sujet qui nous préoccupait : c'était la première fois, l'un et l'autre, que nous découchions et nous avions peur de ce qui nous attendait à la maison.

« Je vais me faire touer.

— Moi aussi, j'vas me faire touer !

— Ne te moque pas de moi !

— J'me moque pas de toi, j'aime trop ta façon de parler pour faire ça...

— Qu'est-ce qu'elle a, ma façon de parler ?

— T'es quand même conscient que t'as un accent, non ?

— Tyu n'as rien à dire, toi ! Tyu penses peut-être que tyu n'en as pas un en anglais, toi aussi ?

— Sûrement... Mais tu trouves pas ça sexy ?

— Sexy ?

— Oui, ma façon de parler en anglais, tu trouves pas ça sexy ? »

Il ne prit même pas la peine de réfléchir, la réponse sortit toute seule :

« Non... Enfin, je n'avais jamais pensé à ça... C'est ça qui t'a attiré vers moi ?

— Pas juste ça, mais ça comptait...

— Ah ! bon...

— Prends pas c't'air-là, c'est pas négatif, c'que j'te dis-là, Alan... Moi, les accents, *tous* les accents, j'trouve ça sexy pis j'trouve le tien particulièrement... cochon.

— Cochon ?

— Oui... Plus que sexy... dirty, si tu veux...

— Tyu trouves mon accent... dirty ?

— Ben oui. »

Cette fois, il semblait ravi.

« Et tyu vas dire à ta mère que tyu as rencontré un Anglais qui avait a dirty accent?

— Es-tu fou, toi, j'pourrais jamais parler de ça avec elle! Et toi?

— Moi non plus...

— Qu'est-ce que tu vas y dire, à ta mère?

— Je ne sais pas... Rien. Je vais inventer une histoire qu'elle ne croira pas.

— Moi aussi... On va faire semblant d'y croire en même temps pis la face va être sauvée...

— La face?

— Oui... les apparences...

— Elle ne le sait pas?

— Ben non... La tienne?

— Mon dieu non! Ça va te coûter cher, de ne pas être rentré chez vous hier soir?

— Probablement...

— Il faut toujours une première fois...

— Oui...

— Il faut qu'elle s'habityue...

— Penses-tu qu'a' va être capable, la tienne?

— Je ne sais pas. Non, je ne pense pas.

— La mienne non plus. On a vraiment brisé toutes les règles, hein?

— Oui. »

Il approcha son visage du mien.

« Est-ce que j'en valais la peine, au moins?

— Et moi? »

Pour nous le prouver, nous refîmes l'amour, nos visages encore imprégnés des vestiges du sommeil et surtout de ceux des oreillers trop raides qui avaient strié nos joues et marqué nos fronts de barres rouges assez répugnantes. Nous avions des haleines à couper au couteau, mais ça nous était égal. Nous étions poisseux des ébats de la nuit qui s'achevait, c'était plutôt excitant.

Ce fut plus doux, plus long aussi, moins urgent, plus raffiné pour autant que ce mot puisse s'appliquer à des ébats aussi primaires, aussi tâtonneux que ceux auxquels nous nous adonnions, faute d'expérience. L'adresse viendrait avec l'expérience? J'étais prêt à expérimenter le plus souvent possible!

Au milieu de notre débauche de caresses, alors que son souffle était le plus court et que moi j'avais plutôt de la difficulté à respirer tellement j'étais occupé, il prit ma tête dans ses mains et me demanda à brûle-pourpoint:

«Si il y avait oune guerre entre les Anglais et les Français ici, serais-tyu capable de me tyuer?»

Ce n'était vraiment pas le moment! Comment parler de ces choses-là dans la position où nous nous trouvions? De toute façon, la question ne se poserait certainement pas de cette façon-là!

Pour éviter de prendre le sujet au sérieux, je m'imaginai en Scarlett O'Hara — c'était pourtant lui, l'Irlandais! — au milieu de la guerre de Sécession, sur le point de perdre sa Tara chérie. Alan faisait un bien piètre Clark Gable, j'étais moi-même à des années-lumière de ressembler à Vivian Leigh et le Saint-Louis Tourist Room n'avait rien d'une résidence princière du sud des États-Unis, mais je jouai le jeu et laissai tomber ma tête par en arrière.

«Non, Rhett, j's'rais jamais capable de faire ça! Do you give a damn?»

Il parut vexé.

«J'étais sérieux!»

Je collai mon front au sien en soupirant.

«Ben non, j's'rais pas capable... Tu sais ben que j's'rais pas capable...»

Je pensai à la réplique d'Arletty à sa sortie de prison — «Mon cœur est français, mais mon cul est international!» — mais j'eus un doute. Un petit. Un tout petit. Alan essaya de lécher mon dernier doute, de l'effacer avec sa langue gourmande.

Nous débouchâmes dans le minuscule hall du Saint-Louis Tourist Room en courant :

« C'est possible de téléphoner ? C'est urgent ! »

Un gros tout-trempe avait remplacé Jackie ; je compris tout de suite qu'il serait infiniment moins sympathique qu'elle.

« Tout est possible avec de l'argent ! »

Mais ce n'était pas le caissier qui avait répondu, c'était François Villeneuve, avachi sur le petit sofa de peluche vert passé, en compagnie de Carmen qui battait des mains comme si nous venions de livrer une performance mémorable.

« Qu'est-ce que vous faites là ?

— On est venus vous attendre... On vous donnait encore cinq minutes pis on montait vous réveiller...

— Mais pourquoi vous êtes là ?

— On vous emmène manger au Sélect ! Tous ceux qui pognent le samedi soir vont exhiber leur trophée au Sélect, le dimanche midi... C'est une tradition. C'est à mourir de rire, vous allez voir. »

Alan composait déjà le numéro de téléphone de chez lui.

« Je ne souis pas oune trophée...

— Ben oui, t'es un trophée, comme tout le monde ! »

Alan baissait la tête, la voix, le ton.

« Hello ! Mother ? It's me... »

François m'aidait à enfiler mon manteau. J'étais furieux.

« Comment vous avez fait pour savoir qu'on était vraiment là ? On s'est même pas inscrits sous nos vrais noms !

— Charly est un chum pis, dans les petits hôtels comme ici, un petit deux rend toujours plus facile l'ouverture des registres... Quand j'ai vu George

Sand pis Donald O'Connor, j'ai tout compris... Tu sais, j'espère, que George Sand était une femme?

— Laisse faire les cours de littérature! On aurait pu rentrer chacun chez nous, cette nuit, Alan pis moi... Tu serais venu jusqu'ici pour rien...

— Vous aviez l'air trop mûrs, y fallait que le fruit tombe! J'me suis fié à mon instinct de cou-railleux, j'ai pris une chance, j'ai gagné! C'tait bon, au moins? Tu peux me le dire, après tout c't'avec mon argent que vous avez réussi à sauter le pas!»

Carmen, qui semblait beaucoup s'amuser, comme d'habitude, disparaissait presque derrière la guitare trop grosse pour lui. François s'était trouvé un autre porteur.

Une main pesante dans mon cou. Alan s'était joint à nous, blême comme un jour de carême.

«I have to go. Right now.»

Je me lançai sur le téléphone à mon tour.

«Moi aussi... enfin, probablement...»

Pendant que je comptais les coups de sonnerie à l'autre bout du fil, le chanteur essayait de con-vaincre Alan de rester avec nous. Celui-ci secouait la tête sans écouter, comme quelqu'un à qui on vient d'annoncer une catastrophe.

«Allô?» La voix de ma mère, toute cassée.

(Mon dieu! Sa voix des jours de drame! A'l' a même pas dû s'habiller de l'avant-midi...)

Alors, coup de tête, crise d'indépendance, pure méchanceté, manque de courage, toujours est-il que je me contentai de crier dans le téléphone: «Moman? C'est moi! Inquiète-toi pas, tout va bien, j'vas rentrer vers la fin de l'après-midi!», puis je raccrochai brusquement en me tournant vers les trois autres:

«J'veux vivre c'te journée-là jusqu'au bout... On s'en va au Sélect!»

Mais Alan me tendait un billet sur lequel il avait griffonné son numéro de téléphone.

« Pas moi. Je ne peux vraiment pas. Donne-moi le tien, si t'y veux... »

Un nœud dans mon cœur, un poids insupportable que j'aurais voulu recracher avant qu'il m'empoisonne : j'étais convaincu de ne jamais revoir Alan.

*

Après le Carré Saint-Louis dévasté, abandonné aux souillures des pigeons et des écureuils, sa si jolie fontaine soumise aux assauts de la rouille et ses arbres mal taillés laissés à l'abandon alors qu'il avait été autrefois l'un des hauts lieux de la bourgeoisie francophone de Montréal, la rue Saint-Denis, elle-même livrée depuis des années à la déprime des tourist room qui ne voyaient jamais de touristes et des débits qui n'avaient de clandestin que l'adjectif et que tout le monde connaissait, était encore plus tristounette sous la neige mouillée qui venait de commencer à tomber. Enveloppé dans mon manteau de faux poil de chameau, moi-même pas très jovial, je suivais le chansonnier et son porteur de guitare en me demandant ce que je faisais là à boitiller dans la même maudite côte Sherbrooke pour la troisième fois en moins de douze heures, toujours à la remorque de ce gars trop beau qui semblait vouloir s'acheter de la compagnie pour ne pas rester tout seul.

(Y'ont-tu baisé dans le sofa du El, cette nuit ? Ça doit... pis ça devait pas être beau à voir ! Pourquoi sont pas allés faire ça chez eux ? Y restent peut-être encore chez leurs parents... Y'ont-tu eux autres aussi une mère qui risquait de faire une syncope parce que son fils était pas rentré de la nuit ? En tout cas, c'est pas le genre de François, sa mère doit être sur le dos depuis longtemps, y'a dû l'achever vite ! Pis pourquoi j'les suis comme ça ? J'ai même pas le goût d'aller

manger au Sélect pour rire du trophée des autres!
Pour qui j'me prends, d'ailleurs, j'ai même pas de
trophée à montrer! Mon trophée est parti se faire
agonir d'injures par sa mère pis j'le reverrai probablement jamais! J'ai même pas d'argent pour me
payer un ordre de toasts pis un café, à part de ça!
J'suppose que c'est encore François qui va payer pis
que j'vas encore me sentir obligé de faire tout c'qu'y
va me demander parce que j'vas y devoir de l'argent!
Pis quand y'en aura pus, d'argent, qu'est-ce qui va
se passer, hein? Fini, l'amitié, rends-moi mon dix?
J'viens-tu de mettre le pied sur une pente savonneuse
qui va me mener directement... Hé, que chus dramatique! J'fais juste retarder le moment critique,
c'est tout, même si je sais que ça va être pire quand
j'vas rentrer... C'est exactement ça, niaiseux, cherche
pas plus loin : t'es trop lâche pour faire face à l'affron-
tement tu-suite, ça fait que tu remets ça à plus tard,
même si tu sais que chaque minute qui passe aggrave
ton cas pis que ta mère est probablement en train
de se geler le bout du nez pis la paume des mains
dans la fenêtre de la salle à manger à force de guetter si tu débouches pas de la rue Mont-Royal en boi-
tant... Ben non, a' sait pas que je boite... A' peut pas
savoir que je boite, j'boitais pas quand chus parti
hier... Mais quand a' va te voir boiter, ça va être
encore pire!)

Je n'avais pas assez dormi — j'étais habitué à
mes huit heures de sommeil bien comptées et
j'y tenais, sinon j'avais de la difficulté à fonction-
ner —, je titubais donc déjà de fatigue en passant
devant la bibliothèque Saint-Sulpice et j'arrivai
au restaurant sur les genoux et au bord du délire
mental.

Le Sélect occupait le coin nord-ouest de l'intersection des rues Saint-Denis et Sainte-Catherine.
C'était un immense carré éclairé au néon, parcouru
par des rangées de banquettes de plastique olivâtre

façon cuir, desservies par des waitresses plutôt âgées qu'on appelait familièrement «maman» ou «ma tante» pour les amadouer quand elles n'étaient pas de bonne humeur. Et avec la clientèle qui se tenait là, elles étaient rarement de bonne humeur.

Ouvert vingt-quatre heures, le Sélect recevait la nuit et au petit matin tout ce qu'il y avait de plus sorteux à Montréal et les serveuses y faisaient autant office de bouncers que de bonnes mamans compréhensives. Après avoir mangé comme des cochons et s'être comportés comme des goujats, les clients noctambules partaient en rotant, mais aussi en laissant un généreux pourboire pour se faire pardonner leurs agissements et leur existence même. Les «momans» et les «ma tante» empochaient en maugréant, tout en passant à la table suivante où les attendait du pareil au même. L'après-midi, des madames qui magasinaient chez Dupuis Frères ou qui se préparaient à aller assister à une émission de CKAC diffusée du Café Saint-Jacques, prenaient le thé en critiquant tout, la table mal essuyée, la propreté douteuse de la tasse, le biscuit trop sec ou pas assez, le lait tourné et la serveuse elle-même, vraiment trop bougonne et mal élevée. Elles sirotaient leur thé pendant des heures, redemandaient de l'eau chaude, étiraient leur poche le plus longtemps possible, puis elles partaient sans laisser de pourboire et sans dire merci, après s'être plaintes à la gérante qui, elle aussi, avait envie de les étrangler. Est-il besoin d'ajouter que le personnel du Sélect préférait travailler la nuit...

François et Carmen m'expliquèrent tout ça pendant que nous attendions que notre serveuse s'occupe de nous, ce qui ne semblait d'ailleurs pas vouloir se concrétiser dans un avenir très prochain, parce qu'elle passait à côté de notre table sans même nous jeter un regard. François prit la précaution de cacher sa bouche dans son poing avant de déclarer sur un ton gourmand :

« Quequ'chose a dû se passer, même ma tante Juliette est pas de bonne humeur ! »

Carmen avait le nez plongé dans le menu.

« Yum ! J'aime tout, ici ! Les crêpes, les œufs, les spaghettis... mais c'que j'aime par-dessus tout... »

François le coupa en secouant la tête :

« Ben oui, le hamburger platter, tout le monde sait ça ! »

J'avais mal au cœur, j'avais de la difficulté à garder les yeux ouverts, mais je posai tout de même la question, pour leur prouver que je les écoutais ou par peur que le silence tombe entre nous :

« C'est quoi, ça, un hamburger platter ? »

Carmen fit alors une description apologique et d'un haut comique d'un simple hamburger — mais ouvert, quelle drôle d'idée ! — accompagné de frites, de cole-slaw et de sauce barbecue. Jamais un plat si simple ne parut si complexe, si divinement concocté, si bellement présenté, si délicieux et je consentis un sourire qui sembla ravir le nain.

« Bon ! Enfin ! Tu reviens pas d'un enterrement, Jésus-Christ ! »

(Mon dieu ! Alan ! Moman ! J'les avais presque oubliés pendant quequ' minutes ! Tu t'éparpilles ! Tu t'éparpilles ! Tout ça est éparpillé ! C'est pas ça qu'y faudrait qu'y se passe ! C'est pas ici que tu devrais être !)

Ma tante Juliette arriva en trombe, comme si elle venait de se rendre compte de notre existence.

« Dépêchez-vous, commandez tu-suite parce que Victor est au bord de nous faire une crise d'hystérie pis chus pas sûre qu'y va se rendre au bout de son shift... Comme on n'a pas envie de faire le manger nous autres-mêmes, j'sais pas ce qui va arriver... La même chose que d'habitude,

Carmen? François? Toi, là, le nouveau, qu'est-ce que tu vas prendre?»

C'était trop vite, je n'avais pas vraiment eu le temps, ni le goût, de consulter le menu et je me mis à bredouiller lamentablement.

«Ben... euh...

— Écoute, j'ai pas jusqu'à la semaine prochaine, j'sais même pas si j'en ai pour cinq minutes, ça fait que décide-toi...

— Ben... euh...

— 'Coudonc, c'est-tu un sourd et muet que vous m'avez emmené, à midi, ou un arriéré mental?»

François posa une main sur mon menu.

«Apportez-y la même chose qu'à moi...»

Croyant probablement que j'étais le trophée de François, ma tante Juliette lui fit un clin d'œil que je trouvai plutôt insultant et disparut presque en courant.

(Qu'est-ce que je fais ici! J'devrais pas être ici! J'devrais être en train de brailler sur le coin de la table de la salle à manger en demandant pardon pis en promettant de pus recommencer même si j'ai l'intention de recommencer à la première occasion!)

Carmen promenait dans le restaurant un regard critique. Il était visiblement déçu.

«On n'a pus les trophées qu'on avait, mon François! C'est même pas plein! Le monde ont pas pogné, hier soir?

— Y'est encore trop de bonne heure... Le temps qu'on mange, ça va se remplir pis on va avoir du fun...»

(Lève-toi, mets ton manteau, sacre ton camp! Y te font perdre ton temps! Pis y le savent! Y le savent pis y'ont du fun!)

«Excusez-moi... Faut que j'aille aux toilettes...»

Ils me regardèrent m'éloigner en riant sous cape, du moins en étais-je convaincu dans ma paranoïa aiguë.

*

Je glissai une pièce de dix cents dans l'appareil téléphonique, composai le numéro.

«Allô? Moman? C't'encore moi. Excuse-moi pour tout à l'heure... mais j'ai trop peur... j'ai trop peur de rentrer à la maison... Dis-moi que tu me chicaneras pas trop, sinon j'sais pas... j'sais pas c'que j'vas faire... Chus fatigué, pis j'veux rentrer, mais j'ai peur pis je tourne en rond! Chus pas capable de t'affronter, moman, qu'est-ce que j'vas faire? J'ai dix-huit ans pis chus pas capable d'affronter ma mère! Aide-moi!»

*

Je laissai François et le nain Carmen au-dessus de leurs assiettes fumantes. Si j'avais seulement touché aux œufs barbouillés de beurre déposés sur un lit de bacon à moitié cuit qui m'attendaient en refroidissant, je crois que je serais mort empoisonné sur-le-champ tellement c'était gras. À mon grand étonnement, ils n'émirent aucune protestation. Ils avaient dû parler de moi pendant que j'étais au téléphone et décider de me laisser aller, de me *délivrer* en quelque sorte.

Je promis à François de lui remettre son dix dollars le plus tôt posible; il fit comme s'il me croyait.

«Presse-toi pas. Tu me le remettras quand tu seras riche!

— C'est pas demain la veille.

— Fais-toi-z'en pas, c'est pas demain la veille de rien! Repose-toi bien en attendant... pis dis bonjour à ta mère!»

Il se tourna vers le nain Carmen qui caressait l'étui de sa guitare.

Je ne l'amusais peut-être déjà plus.

Par la porte du Sélect qui se remplissait rapidement, les noceurs de la veille introduisaient leurs trophées.

Le mien était le plus beau, le plus intéressant, sûrement le plus gentil et je l'avais laissé fuir. Sans même lui demander ce qu'il faisait dans la vie.

Épilogue

L'ART DE LA FUGUE

Les choses dangereuses devraient-elles jamais être dites ? Ne devrait-on pas toujours, au contraire, les garder pour soi ? C'était le dilemme dans lequel je me trouvais en cet après-midi de janvier neigeasseux et grisâtre, alors que mes amis, qui m'avaient laissé un message, étaient tranquillement installés dans un quelconque cinéma, à rire des dernières facéties de Jerry Lewis ou à se moucher devant le malheur le plus récent de Susan Hayward.

En attendant, maman était clouée à sa chaise berçante dans le coin de la salle à manger — l'avait-elle seulement quittée depuis mon départ, la veille au soir, juste après le souper ? — et le danger flottait entre nous, le danger qu'elle *apprenne*, le danger qu'elle *repousse*, le danger qu'elle *condamne*.

Candide était revenu chez lui après son tour du monde pour découvrir qu'il vaut mieux cultiver son jardin ; Pinocchio, régurgité par la baleine, était devenu un vrai petit garçon parce qu'il avait juré obéissance à Gepetto, son créateur et désormais père ; Hansel et Gretel, la méchante sorcière rôtie à point et les enfants en pain d'épice revenus à leur état normal, avaient promis de ne plus jamais s'éloigner de la maison, c'est du moins ce que je retenais de ces trois histoires, dont deux avaient bercé mon enfance et la troisième, à cause de son absurdité jubilatoire et de sa virulente charge sociale, avait réjoui mon adolescence. Moi aussi je revenais à la maison après mes pérégrinations, mais si j'étais honteux, c'était d'avoir été lâche, pas de ce que j'avais fait. Non, j'en étais plutôt fier et je n'avais aucune intention d'y renoncer : je ne cultiverais pas mon jardin, je ne jurerais pas obéissance à mes géniteurs et il n'était pas question que je promette de ne pas m'éloigner de la maison. Le seuil avait été franchi, le goût de la liberté était encore sur ma langue et nous n'étions pas dans un conte moral.

Là aussi se trouvait un dilemme : mentir vraiment et inventer une histoire (le conte de fées, justement) à laquelle ma mère ne croirait aucunement mais à laquelle aussi elle pourrait s'accrocher pour éviter de regarder plus loin, ou alors dire la vérité (François, Carmen, Alan, le pandémonium et le Saint-Louis Tourist Room, la brutale réalité !), avouer mes intentions, leur accomplissement, ma fierté, et risquer les foudres du ciel et, qui sait, peut-être même le bannissement.

En indécrottable trou de cul que j'étais, j'avais évidemment opté pour un savant mélange des deux, ce qui n'était d'ailleurs pas du tout évident : j'avais inventé un party chez des amis de l'Institut des arts graphiques rencontrés à l'opéra (invraisemblable, mais raconté avec sincérité ça pouvait toujours passer), avoué l'ingurgitation de diverses boissons alcooliques (chez les Québécois de cette époque, la brosse était toujours moins grave que le cul) et la situation dans laquelle je m'étais retrouvé en me rendant compte qu'il était deux heures du matin, que j'étais à.... à... Saint-Léonard de Port-Maurice et qu'il m'était impossible de revenir à la maison ni de téléphoner à cause de l'heure tardive, justement, et ma peur, en me réveillant ce matin, de sa réaction. J'espérais secrètement qu'elle me piège, qu'elle me talonne, qu'elle voie les trous béants dans mon histoire, qu'elle me débusque, enfin, et qu'elle me confonde. Je ne voulais pas avouer, j'en étais absolument incapable, je voulais être démasqué !

Mais son masque à elle était tellement impénétrable que moi non plus je ne savais pas à quoi m'en tenir. Si elle devinait tout et qu'elle réussissait à le cacher, par pudeur ou par honte, je ne le saurais jamais et cette double mascarade, ce mensonge mutuel, ces questions volontairement détournées et ces réponses de pure invention n'auraient servi à rien !

(Pourquoi se parler si c'est pas pour se parler ! Mais ça dépend juste de toi, épais, vas-y, fais une réponse *choquante*, provoque-la, c'est peut-être ça qu'elle veut !)

En gesticulant, je sentais sur mes mains l'odeur d'Alan et j'espérais qu'elle la saisisse au vol, elle aussi (Sens, moman, j'sens le cul ! Enfin, j'sens le cul, réjouis-toi avec moi !), qu'elle fronce les sourcils, qu'elle se penche sur moi et qu'elle me dise — juste pour me faire comprendre qu'elle comprenait — d'aller me laver. Pour ma part, je caressais le rêve fou de ne jamais plus me laver ! Jamais ! J'allais jusqu'à poser ma main sur son bras pour qu'Alan s'attache à sa peau. Mais si elle sentit quelque chose, elle ne me le laissa pas savoir et le danger dont j'avais d'abord truffé mes réponses à ses questions pressantes finit par disparaître presque complètement dans l'insignifiance de la fin de notre conversation.

« Fais-moi pus jamais ça.

— Chus quand même pas pour te réveiller aux petites heures du matin, la prochaine fois, tu vas me tuer ! »

(Mon dieu, Alan, es-tu en train de faire la même chose que moi, de mentir honteusement pour éviter des explications trop compliquées et trop difficiles?)

« Laisse-moi te dire que y'en aura pas, de prochaine fois.

— Moman, j'ai dix-huit ans, j'vas avoir dix-neuf ans dans cinq mois, faut pas trop m'en demander! Des partys, y va y en avoir d'autres! Pis peut-être de plus en plus... »

(C'est bon, ça, faut la préparer!)

« T'as juste à me prévenir d'avance...

— Ça se prépare pas d'avance, ces affaires-là, moman (menteur)! C'est-à-dire que les partys, oui, mais pas ce qui va se passer...

— Justement, parlons-en, de ce qui s'est passé... J't'avertis, pour ce qui est de découcher, mon p'tit gars, oublie ça tant que tu vas rester sous mon toit! Tant que tu vas rester ici, tu vas rentrer coucher dans ton lit, dans ton pyjama, m'as-tu compris? Dix-huit ans ou pas dix-huit ans! Où c'est que t'as dormi, au fait? Sur le plancher, comme un ivrogne?

— Hein? Ah, dans un sofa...

— Un sofa qui ouvre?

— Ben non... Un sofa. Un sofa ordinaire.

— Tu seul?

— Moman, si j'avais pas été tu-seul, j'te le dirais pas comme ça! »

(Dis quequ'chose! Réagis!)

« Pis y'avait juste une place dans le sofa...

— Les autres, oùsqu'y'ont couché?

— Quels autres?

— Les autres invités... T'étais pas tu-seul à te retrouver dans le fin fond de Saint-Léonard de Port-Maurice... Les autres, y couchaient où?

— Y'en a qui avaient des voitures...

— Ça veut dire que t'aurais pu avoir un lift...

— Y'en avait juste deux... y'en avait juste deux qui avaient des voitures pis c'tait plein... Pis à part

216

de ça, ça me tentait de coucher là! Ça me faisait penser aux pyjama party de mon enfance...

— Excepté que t'avais pas de pyjama...

— J'ai pas couché tout nu, moman, si ça peut te rassurer. J'ai couché tout habillé.

— Pis la mère a accepté ça...

— Moman, j'te l'ai dit tout à l'heure, c'te gars-là a loué un appartement à Saint-Léonard, ses parents sont à Granby!

— Sont riches, c'te monde-là!

— Ben, j'sais pas... peut-être...

— Pis y rentre pas à Granby les fins de semaines, lui? Pis ses parents le laissent donner des partys? Y'étaient-tu au courant, ces parents-là, que leur enfant donnait un party?

— C'est pas un enfant, y'a vingt ans!

— T'as juste à te tenir avec du monde de ton âge!

— Ça aussi on en a parlé! On tourne en rond, là! Veux-tu me tester pour voir si j'te conte des mensonges, 'coudonc!»

(Oui, s'il vous plaît, continue, insiste! Demande-moi au moins si y'avait juste des gars, quoique la présence de filles t'inquiéterait peut-être encore plus...)

«J'te pose des questions parce que je veux avoir des réponses!»

(C'est-tu ben vrai, ça? C'est-tu ces réponses-là que tu veux vraiment avoir?)

«J'pourrais te répondre n'importe quoi.»

Un regard sévère, comme ceux qu'elle me jetait, enfant, quand j'avais fait un mauvais coup particulièrement mal venu.

«Je le saurais.

— Pourquoi t'insistes, d'abord! Tu dois déjà savoir que j'te mens pas!»

(Maudit trou de cul! Maudit lâche! Tu y mens en pleine face pis peut-être qu'a' le sait!)

« En attendant, va donc te laver... »

(Hein ? Quoi ?)

« ... tu sens la boisson à plein nez... »

(Ça se peut pas ! Ça se peut pas, moman, c'est pas vrai, j'ai pas bu ! J'ai à peine trempé mes lèvres dans de la bière pis ça fait plus de douze heures ! Crois-moi pas, j't'en supplie, crois-moi pas ! Continue ! Continue, tu brûles !)

« Ton frère, lui... »

(Ah ! non, pas lui...)

« Mon frère c'est mon frère, pis moi c'est moi.

— Coupe-moi pas, tu sais que j'aime pas ça ! Ton frère, lui, y'a trente ans pis y'a pas découché une seule fois dans toute sa vie !

— Ça veut rien dire, ça ! Ça veut peut-être juste dire qu'y fait le jour c'que tu penses que j'ai fait cette nuit ! Si y fait sa vie de garçon le jour, moi ça m'intéresse pas ! »

(C'est la dernière perche que j'te tends, saisis-là, j't'en supplie, saisis-là !)

« Comment peux-tu dire une chose pareille de ton frère aîné, un gentleman, quasiment un moine tellement y'est sage... »

Le Sermon sur la Montagne avait commencé, notre conversation était terminée et c'était ma faute, c'était moi qui l'avais aiguillée dans cette direction. Je le savais, pourtant, quand ma mère parlait de mon frère, elle devenait lyrique, perdait toute objectivité et tout sens des proportions et il ne nous restait plus d'autre choix que de l'écouter délirer en espérant qu'elle finisse pas changer de sujet. Mais on m'avait dit qu'elle faisait la même chose à mon sujet quand je n'étais pas là...

Je la regardais faire l'apologie de mon frère aîné en me disant que j'aurais préféré qu'elle soit en train de me honnir et même de me renier.

(Je le sais qu'y'est parfait, lui, mais moi je le suis pas, ça fait qu'occupe-toi donc un peu de moi !

Découvre donc que je le suis encore moins que tu penses, pis réagis!)

Mais peut-être était-ce une dernière astuce de sa part; peut-être voulait-t-elle me provoquer en me parlant de la supposée perfection de mon frère pour que je réagisse, que je fasse sortir le chat du sac, quel qu'il soit et quelle que puisse être la mauvaise surprise qu'il tenait dans sa gueule.

Elle m'adorait autant qu'elle adorait mon frère, je le savais, mais j'avais peur que cette faille dans mon caractère — ou du moins ce qu'elle prendrait pour une faille alors que c'en était le trait principal, j'en étais maintenant convaincu —, ce coup que je pouvais porter à l'amour qu'elle avait pour moi, cet aveu que je n'étais plus un enfant, que j'étais un homme, mais un homme différent des autres, la tue. Ou me tue. Ou nous anéantisse tous les deux dans l'enfer de l'incompréhension, de l'injustice et de l'irréparable malentendu.

Je la regardais fixement pour qu'elle comprenne, elle détournait les yeux en jouant avec le bord de sa robe fleurie.

Alors je battis en retraite et me fis couler un bain.

*

Un petit coup contre la porte de la salle de bains, à peine perceptible, comme s'il ne voulait pas vraiment être entendu.

« Qu'est-ce qu'y'a, encore! J'ai pas non plus le droit de prendre mon bain en paix? »

Je savais pourtant que ce qui allait venir serait important, maman ne me dérangeait jamais dans mes ablutions, mais je choisissais l'agressivité pour qu'elle ne sente pas mon inquiétude à travers la cloison.

« J'voulais juste te dire... »

Je l'imaginais, le front collé contre la porte, dans le rôle de celle qui se confesse alors que c'était moi qui avais péché.

« ... j'voulais juste te dire que je veux pas que tu me prennes pour une niaiseuse... Chus assez vieille pour avoir vécu, pour avoir vu les autres vivre, pour deviner comment y sont... »

Je me redressai dans l'eau pour entendre le reste, pour sentir venir l'absolution, la saisir au vol et m'en imprégner une fois pour toutes.

« ... en fait, j'voulais juste te dire que tu vas quand même rester mon enfant. »

(Merci, moman! Merci, moman! Mais excuse-moi, ça veut pas sortir!)

« Comprends-tu? »

(Dis-le! Dis-le! Juste un petit son! T'es capable de produire un petit son! C'est elle qui te demande si tu comprends!)

« Oui. »

*

J'avais posé à côté du tourne-disque les albums d'opéras qui contenaient mes duos d'amour favoris. Les inévitables *Faust* et *Carmen*, bien sûr, mais aussi *Tristan und Isolde* et son génial deuxième acte, le plus long, le plus fou duo d'amour de tous les temps; *Un bal masqué* — deux amoureux sous un gibet, quelle image! *Madama Butterfly*, pour ses odeurs de fleurs de cerisiers et ses japonaiseries quétaines et si touchantes; et surtout *Otello*, celui de Verdi, dont le premier acte se termine sur le Maure et Desdémone écrasés sous les sons cristallins de la voûte céleste — *Un baccio, un altro baccio...* Mais, pour me faire pleurer parce que j'en avais grandement besoin, j'avais mis de côté *La Bohème* et son si bouleversant troisième acte.

Je m'étais étendu sur le sofa du salon, l'oreille presque collée au haut-parleur et j'avais fermé les yeux.

(Oùsque t'es là, en ce moment, Alan? Pleures-tu comme moi? As-tu été puni, t'es-tu contenté de patiner comme je l'ai fait, es-tu, comme moi, en même temps soulagé et honteux, as-tu mon numéro de téléphone dans la petite poche de ta chemise, le serres-tu sur ton cœur? En tout cas, merci!)

Mais j'avais beau me fourrer les doigts dans le nez le plus loin possible, le maudit savon avait effacé toute trace d'Alan, comme si rien ne s'était passé. Quand à mon os de veau, il ne sentait que la fumée froide et la bière tiède.

Ça y est, ça s'en vient...

Mimi è tanto malata!

Key West, 22 janvier-1er avril 1995

OUVRAGE RÉALISÉ
PAR MÉGATEXTE À MONTRÉAL

REPRODUIT ET ACHEVÉ D'IMPRIMER
SUR ROTO-PAGE
EN OCTOBRE 1995
PAR L'IMPRIMERIE FLOCH
À MAYENNE
SUR PAPIER DES
PAPETERIES DE JEAND'HEURS
POUR LE COMPTE DES ÉDITIONS
ACTES SUD, ARLES
ET
LEMÉAC, MONTRÉAL

DÉPÔT LÉGAL
1re ÉDITION : JUILLET 1995
No impr. : 38291.
(Imprimé en France)